Interactive Beginning

Cuentos y cultura

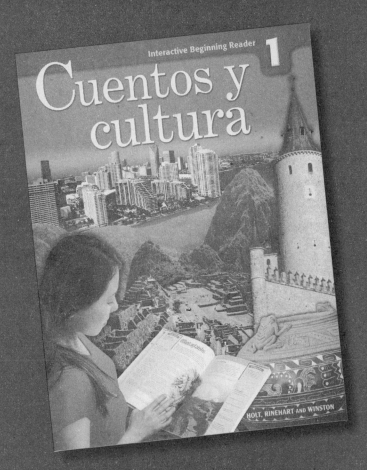

Interactive Beginning Reader 1

Cuentos y cultura

HOLT, RINEHART AND WINSTON

HOLT, RINEHART AND WINSTON

A Harcourt Education Company

Orlando • **Austin** • New York • San Diego • London

Author

Sylvia Madrigal Velasco was born in San Benito, Texas. The youngest of four siblings, she grew up in the Rio Grande Valley, between two cultures and languages. Her lifelong fascination with Spanish has led her to travel in many Spanish-speaking countries. She graduated from Yale University in 1979 and has worked for over 20 years as a textbook editor and author at various publishing companies. She has written bilingual materials, video scripts, workbooks, CD-ROMs and readers.

Contributing Writers and Reviewers
Zahydée González
Mary Lado
JoDee Costello

Printed in the United States of America

ISBN [0-03-079632-6]

12 13 073 10 09 08

Al estudiante

Cuentos y cultura, Holt's Interactive Beginning Reader, is divided into ten chapters. In each chapter you will find two sections: **Cuéntame un cuento** and **Cultura hispana**. Each section includes a reading selection plus activities to do before, during and after reading. These activities will help you build vocabulary and reading comprehension skills.

◄ **Introducción** This is a brief description of the readings in the chapter: **Cuéntame un cuento** and **Cultura hispana.**

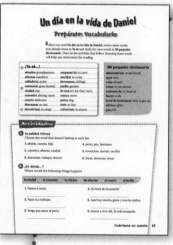

◄ **Prepárate: Vocabulario** In ¡Ya sé...! you will review some words that you have seen before. The words in **Mi pequeño diccionario,** are new words found in the stories. Knowing these words will help you understand the readings.

¡Acuérdate de la gramática! Here you will ►
review a grammar topic that you have already learned. You will practice this grammar topic before you read the stories, using words from **Mi pequeño diccionario**. You will have a chance to practice the grammar again in **Mientras lees**, as you see examples of it in the readings.

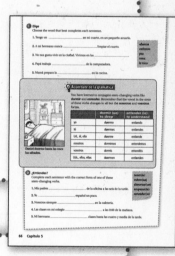

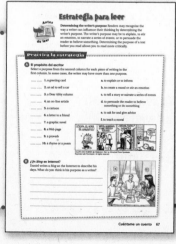

◄ **Estrategia para leer** On this page you will find a reading strategy followed by a chart or diagram. Here you can apply the reading strategy skills that will help your comprehension of the story.

Al estudiante

◀ In **Cuéntame un cuento** you will read a fun, illustrated story about young Spanish-speakers and their daily lives.

In **Cultura hispana** you will read about ▶ various cultural topics in the Spanish-speaking world.

A variety of activities will guide you through the selections in both **Cuéntame un cuento** and **Cultura hispana**. Some activities will help you monitor and check your comprehension. Others will help you expand on what you read, making the selections more meaningful to you.

◀ **Mientras lees** This section includes comprehension questions that help you to interact with and think about the text as you read.

Después de leer This section includes multiple-choice ▶ questions and activities that test reading comprehension and practice vocabulary from the story. Questions in **¡Piénsalo bien!** give you a chance to relate to the story from your own point of view. In **¡Exprésate** and **¡Un poco más!** you will do more hands-on activities and your own research about the various themes of the readings.

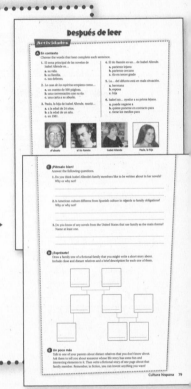

◀ **Glosario** In the glossary you will find the words from **¡Ya sé…!** and **Mi pequeño diccionario**, as well as additional words from the readings, that may be difficult to understand.

Table of Contents

España

Puerto Rico

Capítulo ③ 32

Cuéntame un cuento

Cultura hispana

Texas

Capítulo ④ 48

Cuéntame un cuento

Cultura hispana

Costa Rica

Capítulo 7 96

Cuéntame un cuento

Cultura hispana

Argentina

Capítulo 8 112

Cuéntame un cuento

Cultura hispana

Florida

Capítulo 1

Cuentos y cultura

In **Cuéntame un cuento,** you will meet a student from Spain as she navigates the website of a Spanish club — a unique club in a school somewhere… in your imagination! In **Cultura hispana**, you will read about museums in the Spanish-speaking world and you will visit the famous **Museo del Prado** in the heart of Madrid.

Cuéntame un cuento

Un club sin igual

Pilar Arellanos is a student at the Colegio Laforet in Madrid, Spain. As she's surfing the Web, she stumbles onto the web page of **el club de español Miguel de Cervantes.** Her curiosity leads her to an important Instant Message that might change her life!. **4**

Cultura hispana

Museos del mundo: *Imagination on Display*
Are museums only for art? Of course not! Find out about all kinds of museums in the Spanish-speaking world, and their unusual collections **9**

El Museo del Prado

Travel to Madrid to see the beautiful Museo del Prado! You will learn many things about one of the most famous museums in the world, and you will get to see some of its most famous paintings **12**

 España

Un club sin igual
Prepárate: Vocabulario

Before you read **Un club sin igual,** review some words you already know in **Ya sé** and study the new words in **Mi pequeño diccionario.** Then do the activities that follow. Knowing these words will help you understand the reading.

¡Ya sé...!

Adiós. *Goodbye.*

¿Cómo se llama?
What's his (her) name?

Me llamo, se llama...
My name, his/her name is...

compañero(a) de clase
classmate

¿De dónde eres?
Where are you from?

Soy de... *I'm from...*

días de la semana
days of the week

Hasta luego. *See you later.*

mejor amigo(a) *best friend*

meses del año
months of the year

números de 0-31
numbers from 0-31

profesor(a) *teacher*

Mi pequeño diccionario

colegio *school*

concurso *contest*

encuesta *poll, survey*

intercambio *exchange*

estudiar *to study*

horario *schedule*

libros *books*

noticias *news*

próximo *next*

reunión *meeting*

Actividades

A La palabra intrusa
Underline the word that doesn't belong in each series.

1. miércoles, marzo, martes

2. cinco, siete, ocho

3. encuesta, libros, intercambio

4. profesor, estudiante, colegio

5. hasta luego, hola, adiós

6. amigo, compañero, profesor

B Con lógica
Choose the word you would associate with each of the following sentences.

1. Students participate and win prizes. _____

2. Students study there. _____

3. It says where and when classes meet. _____

4. Students read these in the school newspaper. _____

5. Students meet to plan school events. _____

horario
reunión
noticias
concurso
colegio

C Clasifica

Complete the chart with words from **¡Ya sé…!** and **Mi pequeño diccionario**.

People and places	School days	Summer months	School activities

Ellas son Pilar y Graciela.

💡 Acuérdate de la gramática

You have learned the subject pronouns and how to use the present tense of **ser** to say who someone is or where you or others are from.

yo	**soy**	nosotros(as)	**somos**
tú	**eres**	vosotros(as)	**sois**
usted	**es**	ustedes	**son**
él (ella)	**es**	ellos (ellas)	**son**

D ¿Cuál es?

In the first blank write the correct form of the verb **ser.** Then rewrite the sentence, replacing the underlined subjects with the appropriate subject pronouns.

1. Graciela _____ la mejor amiga de Bobby.

_____

2. Pilar _____ de Madrid, España.

_____

3. Graciela y Bobby _____ de los Estados Unidos.

_____

4. Graciela, Bobby y Pilar _____ estudiantes.

_____

5. Bobby _____ el nuevo *(new)* amigo de Pilar.

_____

Estrategia para leer

Antes

de leer

Cognates are words that look alike and have similar meanings in two languages. For example: **opiniones** *(opinions)*, **programas** *(programs)*, and **eventos** *(events)*. Recognizing cognates will help you figure out the meaning of words you don't know and get a general idea of what a reading passage is about.

Practica la estrategia

A Cognados

Circle all cognates in the following text and try to guess the meaning of the words that are underlined.

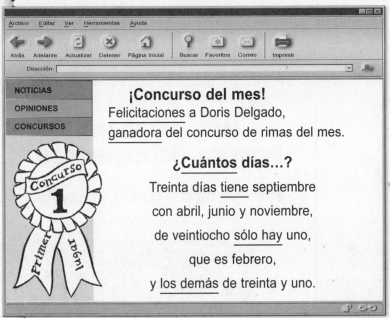

My guess:

1. _____

2. _____

3. _____

4. _____

5. _____

6. _____

B Preguntas

Answer the following questions about **¡Concurso del mes!**

1. Who is the winner of this month's contest?

_____

2. What is her rhyme about?

_____

_____

3. Do you think **¿Cuántos días…?** is an appropriate title for this rhyme? Why or why not?

_____

_____

Para empezar...
Does any club you belong to at your school have a website? What is it for?

_____

_____

A. Haz una lista

List three words that you don't know on this page. Then, look at the cognates around it to help you figure out their meaning.

Word	Meaning
_____	_____
_____	_____
_____	_____

B. Contesta

Which section would you click on if you were in the following situations?

1. You want to enter a contest.

  a. Noticias   **b.** Concursos

2. You are interested in studying in Spain.

  a. Encuesta

  b. Programas de intercambio

3. You are interested in pre-Columbian art.

  a. Exposición

  b. Calendario de eventos

C. Analiza

Do you think the Spanish classes are popular at this school? Why do you think so?

_____

_____

Un club sin igual

Pilar Arellanos is a student at the Colegio Laforet in Madrid. During one of her study periods, she finds the web page for the Spanish Club **Miguel de Cervantes**. She has always wanted to be an exchange student in the United States, so she decides to explore the website a little further.

Pilar decides to see what events the club has planned for the year. She goes to the Calendario de eventos page.

Archivo   Editar   Ver   Herramientas   Ayuda

Atrás   Adelante   Actualizar   Detener   Página Inicial | Buscar   Favoritos   Correo | Imprimir

Dirección:

Calendario de eventos

OCTUBRE

l	m	m	j	v	s	d
				1	2	3
4	5	6	7	8	9	10
11	12	13	14	15	16	17
18	19	20	21	22	23	24
25	26	27	28	29	30	31

NOVIEMBRE

l	m	m	j	v	s	d
1	2	3	4	5	6	7
8	9	10	11	12	13	14
15	16	17	18	19	20	21
22	23	24	25	26	27	28
29	30					

DICIEMBRE

l	m	m	j	v	s	d
		1	2	3	4	5
6	7	8	9	10	11	12
13	14	15	16	17	18	19
20	21	22	23	24	25	26
27	28	29	30	31		

Don Quijote de
La Mancha

Clave

- Lavado de carros[1]
- Reunión del club
- Celebración del Día de los Muertos[2]
- Excursión al Museo de Arte Latinoamericano
- Baile[3] anual del club
- Venta[4] de libros
- Audiciones para obra de teatro[5]
- Venta de galletas[6]
- No hay colegio
- Días de fiesta nacionales

1. **Lavado de carros** Car wash   2. **Día de los Muertos** Day of the dead   3. **Baile** Dance
4. **Venta** Sale   5. **obra de teatro** play (theater)   6. **galletas** cookies

A. Identifica

Look at all the calendar pages and circle the days that school is out. Then write out the dates for four national holidays.

1. _____

2. _____

3. _____

4. _____

B. Contesta

Choose the correct words to complete each statement.

1. Las reuniones del club de español son…

   a. los martes.   b. los jueves.

2. La venta de galletas es…

   a. en octubre.
   b. en diciembre.

3. Las audiciones para la obra de teatro son…

   a. el 29 de noviembre.
   b. el 13 de diciembre.

C. Compara

Compare the activities of the Spanish club in each of the three months. In which month do they have the most activities? In which month do they have the fewest activities?

_____

_____

_____

_____

_____

Cuéntame un cuento   5

A. Subraya

Underline two sentences where **ser** is used to ask or say where someone is from, and one sentence where it is used to say who someone is. Write them here.

1. _____

2. _____

3. _____

B. Contesta

Choose the best words to complete each statement.

1. La muchacha de Madrid se llama…

   a. Pilar.   **b.** Graciela.

2. Graciela es… de Bobby.

   a. la profesora
   b. la mejor amiga

3. Pilar quiere *(wants to)* estudiar en…

   a. un club de español.
   b. un programa de intercambio.

C. ¡Exprésate!

Write a short Instant Message in Spanish, between you and Pilar. Introduce yourself and ask her questions about who she is.

_____

_____

_____

_____

Pilar decides to Instant Message with someone at the **club de español**. What does she find out?

PilarA: ¡Hola!

BobB: ¡Hola!

PilarA: Yo me llamo Pilar Arellanos. ¿Y tú?

BobB: Yo me llamo Bobby… Roberto Dixon. ¿De dónde eres, Pilar?

PilarA: Soy de Madrid.

BobB: ¿Madrid, España?

PilarA: ¡Sí, claro[1]! ¿Hay otro Madrid?

BobB: ¡¡¡Sí, hay un Madrid, Iowa!!!

PilarA: Pues, no. Yo soy de Madrid, España.

BobB: ¡Mi mejor amiga está en[2] Madrid!

PilarA: ¿Ah, sí? ¿Cómo se llama ella?

BobB: Se llama Graciela Beasley. Ella es la presidenta del club de español.

PilarA: Ah… sí. La página Web del club es fenomenal. Y el colegio tiene programas de intercambio. ¿Verdad[3]?

BobB: Es verdad. Hay diferentes programas de intercambio en este colegio. Debes hablar[4] con ella si te interesa estudiar aquí.

PilarA: Sí, me interesa[5] mucho. ¿Cuál es su correo electrónico?

BobB: Es GracielaB_clubesp.@exchange.hrw.com.

PilarA: ¡Gracias, Roberto! Voy a enviarle[6] un e-mail.

BobB: ¿Cuál es tu correo electrónico, Pilar?

PilarA: Es PilarA@colegiolaforet.hrw.org. ¡Muchas gracias, BobB!

BobB: ¡De nada, Pilar! ¡Hasta luego!

1. ¡Sí claro! Of course! **2. está en** (she) is in **3. ¿Verdad?** right? **4. Debes hablar** You should speak **5. me interesa** I am interested **6. Voy a enviarle** I am going to send her

Después de leer

Actividades

A En contexto

Choose the best answer for each question.

1. You want to find out who belongs to the Spanish club. Which section do you click on?

   a. Profesores
   b. Programas de intercambio
   c. Miembros del club

2. What did the contest winner of the month write?

   a. un poema
   b. una rima
   c. un cuento

3. The club needs to raise money. Which event do they hold?

   a. lavado de carros
   b. baile anual del club
   c. celebración del Día de los Muertos

4. Who is Bobby Dixon?

   a. un muchacho español
   b. el presidente del club de español
   c. un miembro del club de español

5. Where is Pilar from?

   a. Es de Madrid, España.
   b. Es de Madrid, Iowa.
   c. Es de los Estados Unidos.

6. What does Pilar ask Bobby for?

   a. el correo electrónico del club
   b. el correo electrónico de Bobby
   c. el correo electrónico de Graciela

B Fechas y eventos

Look at the club's events for November and write what day and date of the month someone should attend an event, based on his/her interests.

> **Modelo:** someone who loves to read
> <u>el martes veintitrés de noviembre</u>

1. someone who likes to dance

_____

2. someone who is interested in Art

_____

3. someone of Mexican heritage

_____

4. someone who wants to join **el club de español**

_____

5. someone who wants to audition for the school play

_____

NOVIEMBRE						
l	m	m	j	v	s	d
1	2 ☠	3	4 👥	5	6	7
8	9	10	11	12 🚌	13	14
15	16	17	18 👥	19	20 🕺	21
22	23 📚	24	25	26	27	28
29 🎭	30					

C ¡Piénsalo bien!

Answer the following questions.

1. Did you like the website for the Spanish club? Why or why not?

_____

_____

2. Which of the events on the calendar would you participate in if you were a member of the club?

_____

_____

3. Would you like to be an exchange student? Why or why not?

_____

_____

D ¡Exprésate!

You and your friends are designing a website for the Spanish Club. Think of all the sections that you would include and fill in the website here with your ideas. Feel free to draw anything you want! Or cut out pictures from magazines and paste them in. Use as many cognates as possible.

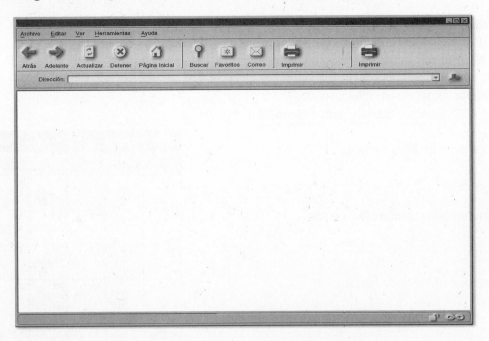

E Un poco más

Do some research about exchange student programs between the United States and Spanish-speaking countries. Find out how they work: the countries they have exchanges with, the duration of the programs, the cost, and even opinions from students who have participated. Take notes and share them with your class.

Museos del mundo hispano: Imagination on display

Museums come in many forms. There are museums that house art collections; museums that display fossils and dinosaurs; museums that document the evolution of a culture; and museums that focus on scientific discoveries, to mention a few. A museum is really just a building that is used to exhibit a collection of objects that have some cultural value, so that people can come and study and learn from those collections.

When we think of museums, we generally think of the great art museums of the world: the *Louvre* in Paris, **el Museo del Prado** in Madrid, the *Metropolitan Museum of Art* in New York. But there are many other interesting museums throughout the Spanish-speaking world that are well worth visiting.

El Museo Nacional de Antropología in Mexico City is famous for its vast collection of artifacts and sculptures of the pre-Hispanic civilizations of Mexico. **El Centro de Arte Reina Sofía** in Madrid is known for its collection of works by Picasso, Dalí, and Miró. If you want to see modern Latin American works of art in the United States, then you need only travel to Los Angeles to the *Museum of Latin American Art*, or to New York, to **el Museo del Barrio.**

It's fun to see other types of museums, like **el Museo de los Niños** in Costa Rica, **el Museo de Mariposas e Insectos** in Honduras, **el Museo de la Electricidad** in Perú, **el Museo del Oro** in Colombia, **el Museo del Fin del Mundo** in Tierra del Fuego, Argentina, or **el Museo del Humor** in Cuba. Who said museums are boring? They're not in the Spanish-speaking world!

▲ Figura precolombina, Museo del Oro, Bogotá, Colombia

▲ Museo de los Niños, San José, Costa Rica

¡Exprésate!

1. What is a museum? Why do we have museums?

_____

_____

2. What is on exhibit at **el Museo Nacional de Antropología** in Mexico City?

_____

_____

3. Which one of these museums would you like to visit and why?

_____

_____

▲ Museo de la Electricidad, Lima, Perú

El museo del Prado
Prepárate: vocabulario

Before you read **el Museo del Prado,** study the words in **Mi peque-ño diccionario** and do the activities that follow. Knowing these words will help you understand the reading.

Mi pequeño diccionario

abierto *open*	**hay** *there is, there are*	**pintura** *painting*
cerrado *closed*	**más** *more, most*	**precio de entrada** *admission fee*
de *of, from*	**menores** *younger*	**retratos** *portraits*
flores *flowers*	**obra** *work of art*	**tema** *theme*
gratuito *free*	**pintor(a)** *painter*	**Viernes Santo** *Good Friday*

Actividades

A Con lógica
Match each phrase with the most logical word.

_____ **1.** on display at a museum   **a.** precio de entrada

_____ **2.** fee paid to attend a show   **b.** gratuito

_____ **3.** kids before they turn 18 years old   **c.** cerrado

_____ **4.** something free of charge   **d.** Viernes Santo

_____ **5.** a sign posted at a store when it closes   **e.** obras

_____ **6.** a religious holiday   **f.** menores

B Clasifica
Write down six words from **Mi pequeño diccionario** that relate to paintings.

1. _____ 4. _____

2. _____ 5. _____

3. _____ 6. _____

Estrategia para leer

Antes de leer

Cognates Look for cognates (words with similar spelling and meanings in English and Spanish) to help you understand some of the words you do not know.

Practica la estrategia

A Cognados

Circle all cognates in the following announcement and guess what they mean. Then, try and figure out the meaning of the underlined words. Check your guesses with those of a classmate.

¡Evento extraordinario!

Gran exposición

Obras de los más famosos artistas del momento

Todo a la venta a precios increíbles.

Organizado por

El centro nacional de la cultura

En beneficio de la Escuela de Bellas Artes

¡Contribuya!

Fecha: sábado 19 de septiembre

Abierto: de 9:00 a.m. a 4:00 p.m.

Entrada gratuita para todos

Dirección: Avenida 19 #1302, La Coruña

B Contesta

Answer the questions based on the information from the announcement.

1. What kind of event is being advertised?

2. What is for sale?

3. Why would you want to buy it?

4. What are you encouraged to do? Why?

5. Who has to pay to attend this event?

6. When and where will the event take place?

Para empezar...
Have you ever been to an art museum? Do you have a favorite artist or painting?

_____

_____

A. Subraya

1. Underline the telephone number of the museum, then write it out in words.

_____

2. Circle the hours that the Museum is open on Tuesdays through Sundays. Then write it out in regular time, not military time.

_____

B. Contesta

Choose the words that best complete each statement.

1. El precio de entrada para el público general es...

   a. gratuito.   **b.** 3,01 Euros.

2. El museo está cerrado...

   a. los martes.   **b.** los lunes.

3. El 31 de diciembre el museo está abierto de las nueve a las...

   a. dos de la tarde.

   b. cuatro de la tarde.

C. Analiza

What two holidays is the museum closed that we also celebrate in the United States?

_____

_____

El Museo del Prado

The Prado Museum, in downtown Madrid, Spain, is one of the largest and best-known art museums in the world. It houses over 9,000 works of art. The collection is so vast that only a tenth of it can be displayed at any one time. Although most of its paintings and sculptures are by European artists, it holds works by artists from around the world and reveals centuries of history through art. Read the following information in the visitor brochure and the descriptions of the paintings by three famous Spanish artists to learn more about the Prado and its collection.

Información General:

Dirección:
Ruiz de Alarcón, 23, 28014 Madrid

Teléfono:
34 913 30 28 00

Correo electrónico:
museo.nacional@prado.mcu.es

Internet:
http://museoprado.mcu.es

Horas:

martes a domingo:
9.00-19.00 h

24 y 31 de diciembre:
9.00-14.00 h

Cerrado:
los lunes; 1 de enero;
Viernes Santo, 1 de mayo y 25 de diciembre

Precio de Entrada:

Público general:
3,01 Euros

Menores de 18 años:
gratuito

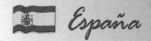 *España*

Cesto¹ Con Flores

Juan de Arellano, famoso pintor español, se especializó en la pintura de flores. Esta obra es una de muchas obras que pintó² con ese tema. Como puedes ver³, es una composición magnífica. Las flores están iluminadas en el centro para acentuar⁴ los colores y la belleza⁵.

La Familia de Carlos IV

Esta obra es de Francisco de Goya y Lucientes, uno de los artistas más famosos y el artista oficial de la Corte de España. Es de la Familia Real y se llama *La Familia del Rey Carlos IV.* Los colores en esta pintura son extraordinarios. Hay muchas obras de Goya en el Prado.

El Caballero⁶

Esta pintura es de El Greco, uno de los más famosos pintores españoles. En realidad, el verdadero⁷ nombre de El Greco es Doménikos Theotokópoulos. La mayoría⁸ de los temas de sus pinturas son religiosos y los colores en estas pinturas son vívidos⁹ y vibrantes. También¹⁰ son importantes sus retratos, como éste de un caballero.

---

1. **cesto** basket   2. **pintó** painted   3. **como puedes ver** as you can see
4. **para acentuar** to highlight   5. **belleza** beauty   6. **Caballero** knight
7. **verdadero** true   8. **mayoría** majority   9. **vívidos** lively   10. **también** also

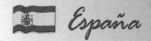

Mientras lees

Acuérdate
You can use adjectives to describe someone or something.
Es un museo **interesante.**

A. Haz una lista
Find three adjectives used to describe someone or something in *Cesto con flores* and list them here.

Adjectives: _____

_____

_____

B. Contesta
Choose the words that best complete each statement.

1. En la pintura de Arellano hay…
   a. flores.   **b.** retratos.

2. En la pintura de Goya hay… personas.
   a. trece   **b.** catorce

3. Los retratos de El Greco son…
   a. importantes.   **b.** gratuitos.

C. ¡Exprésate!
What do you think makes an artist want to paint? Have you ever wanted to paint? Why or why not?

_____

_____

Cultura hispana   **13**

Después de leer

A En contexto

Choose the words that best complete each statement.

1. *Cesto con flores* es una pintura de…
   - **a.** Goya.
   - **b.** Juan de Arellano.
   - **c.** El Greco.

2. Doménikos Teotokópoulos es el nombre de…
   - **a.** Goya.
   - **b.** Juan de Arellano.
   - **c.** El Greco.

3. Las pinturas de… son religiosas.
   - **a.** Goya
   - **b.** Juan de Arellano
   - **c.** El Greco

4. El tema en la pintura de Goya es…
   - **a.** las flores.
   - **b.** los retratos.
   - **c.** la Familia Real.

5. El retrato de *El Caballero* es una pintura de…
   - **a.** Goya.
   - **b.** Juan de Arellano.
   - **c.** El Greco.

6. El artista oficial de la Corte de España es…
   - **a.** Juan de Arellano.
   - **b.** Goya.
   - **c.** El Greco.

▲ Francisco de Goya y Lucientes (1746-1828)

▲ El Greco (1541-1614)

B En resumen

Choose the words that best complete the paragraph about **el Museo del Prado**.

más	famosos	hay	cerrado	el Viernes Santo	gratuito

En el Museo del Prado en España **1.** _____ obras de pintores muy

2. _____ como Goya, Arellano y El Greco. El museo está

3. _____ varios (*several*) días del año, por ejemplo, el 25 de diciembre,

el primero de enero y **4.** _____. El precio de entrada es

5. _____ para menores de 18 años y 3,01 Euros para adultos. Hay

6. _____ información en Internet en http://museoprado.mcu.es.

C ¡Piénsalo bien!

Answer the following questions.

1. Which Spanish artist interests you the most? Why?

_____

_____

2. Look closely on the left hand side of the painting *La familia de Carlos IV* and you will see Francisco de Goya y Lucientes. Why do you think Goya included himself in the portrait?

_____

_____

3. Do you know of any great artists from the United States? If so, give the artist's name and one of his or her most famous works.

_____

_____

D ¡Exprésate!

If you could invent a museum, and exhibit whatever collections you wanted, what kind of museum would you create? Why? What would be its value to your culture?

_____

_____

_____

_____

_____

_____

_____

_____

_____

▲ En el Museo de la Mariposas, Costa Rica

E Un poco más

Do some research on the Internet about one of the three Spanish artists you just read about. Find out where he was born, where he lived most of his life, and how old he was when he died. Find a famous painting of his and write some notes in English about its history: when he painted it, what museum it is in now, what the value of the painting is, and who (if anyone) he painted it for. Share your findings with the class.

Capítulo 2

Cuentos y cultura

In **Cuéntame un cuento,** you will meet Graciela Beasley, the president of the Spanish Club, while she is in Madrid, Spain. In **Cultura hispana**, you will read about national parks in the Spanish-speaking world, **El Yunque,** a rainforest in Puerto Rico, and **el coquí,** a national symbol for the island.

Cuéntame un cuento

¡Ni un minuto que perder...!

In **¡Ni un minuto que perder…!**, *Not a minute to lose…*, Bobby has asked Graciela, his best friend in the Spanish Club, to meet Pilar, a girl from Madrid who wants more than anything to study in the States. What will come of that meeting? **20**

Cultura hispana

Parques nacionales: *Saving Nature*
Who creates national parks? Why should we treasure them? **25**

El coquí

In the beautiful rainforest **El Yunque,** you will learn about **el coquí.** Find out how this tiny frog is not just any frog, but a special one with a special voice! **28**

Puerto Rico

¡Ni un minuto que perder...!

Prepárate: Vocabulario

Before you read **¡Ni un minuto que perder...!** review some words you already know in **Ya sé** and study the new words in **Mi pequeño diccionario.** Then do the activities that follow. Knowing these words will help you understand the reading.

¡Ya sé...!

atlético(a) *athletic*	
bueno(a) *good*	**helado** *ice cream*
deportes *sports*	**libros** *books*
divertido(a) *fun*	**películas** *movies*
extrovertido(a) *outgoing*	**¿Qué... ?** *What...?*
fiestas *parties*	**simpático(a)** *friendly*
formidable *great*	**tener... años** *to be... years old*
gustar *to like*	**trabajador(a)** *hard-working*

Mi pequeño diccionario

beca *scholarship*
calificaciones *grades*
edad *age*
debes *you must*
hay *there is, there are*
listo(a) *ready*
llenar *to fill out*
solicitud *application*

Actividades

A La palabra intrusa
Choose the word that doesn't belong in each list.

1. divertido, simpático, serio

2. listo, deportes, atlético

3. nombre, beca, edad

4. estudiar, calificaciones, fiestas

5. edad, tener... años, solicitud

6. gustar, trabajador, formidable

B Con lógica
Match each word or phrase from Column B with the most logical word or words from Column A.

Columna A	Columna B
_____ **1.** calificaciones	**a.** hobbies
_____ **2.** edad	**b.** job
_____ **3.** becas	**c.** financial aid
_____ **4.** solicitud	**d.** GPA
_____ **5.** libros y películas	**e.** an old person

Acuérdate de la gramática

¿Te gusta el helado?
No, no me gusta mucho.

You have learned to use the verb **gustar** to say what people like. Remember that **gustar** takes different pronouns and only has two forms: **gusta** if what people like is singular and **gustan,** if what they like is plural.

You can use **encantar** in the same way as **gustar,** to say that you like something very much, you love it!

Pronouns	Gustar	What you or others like
me te le nos os les	gusta gustan	el helado los deportes la pizza los libros

C **¿Te gusta o te encanta?**

How do you feel about the following things? Do you like them?, love them?, or dislike them? Complete the chart with the correct form of **gustar** or **encantar**.

Cosas	Me gusta(n)	Me encanta(n)	No me gusta(n)
1. los libros de misterio			
2. las películas de acción			
3. la clase de matemáticas			
4. las calificaciones			
5. un programa de intercambio			

D **¿Qué les gusta?**

Say that the following people like or love the general category mentioned. Make sure you use the correct pronouns and forms of **gustar** or **encantar**.

1. A Marta _____ _____ la ensalada de frutas.

2. A Enrique y a Jaime _____ _____ los deportes.

3. A mi profesora de español _____ _____ las fiestas.

4. A nosotros _____ _____ el helado de chocolate.

5. Y a ti, ¿qué _____ _____?

Estrategia para leer

Antes de leer

Prior Knowledge As a reader, you make predictions about what might happen in a story based on your prior knowledge, what you already know about a topic. Your predictions might be based on what the text looks like, the illustrations, the title, or anything else that you recognize as familiar from other things you have read.

Practica la estrategia

A **Lo que ya sabes**

Look at each image and match it to its description. Then, based on what you already know from other things you have read, make a prediction as to what you expect to read about in each one of the items.

| a. travel brochure | b. Valentine's card | c. an obituary | d. a wedding announcement |

Pedro Saldívar
1925-2001

Mi predicción

_____

_____

_____

_____

1. _____

_____

Zamora - González

Mi predicción

_____

_____

_____

_____

2. _____

San Antonio

Mi predicción

_____

_____

_____

_____

3. _____

¡Te amo!

Mi predicción

_____

_____

_____

_____

4. _____

Para empezar...
Have you ever had your mind set on something that didn't seem possible? What was it? What did you do about it?

_____

_____

_____

A. Imagina
Glance at the photos on this page and write one sentence saying what you imagine this story is about.

_____

_____

B. Contesta
Choose the word or words that best complete each statement.

1. Graciela y Pilar se encuentran (meet)...

   a. en un café. **b.** en el colegio.

2. A Pilar y a Graciela les gustan...

   a. los libros. **b.** las fiestas.

3. El libro de Pilar es ...

   a. aburrido. **b.** formidable.

C. Compara
Besides reading, what do Graciela and Pilar have in common?

_____

_____

_____

¡Ni un minuto que perder...!

Pilar and Graciela have agreed to meet at an outdoor café in Madrid. Pilar can hardly wait to meet Graciela and hear all the details about her new friend, her school and the **programas de intercambio**.

1. Prefiero I prefer **2. leer** to read **3. mi país** my country

Graciela and Pilar talk about their favorite books and authors, friends, school in the United States and the Spanish Club. Pilar tells Graciela that she has always wanted to study abroad and would love to go to the States. **¿Cómo es el programa de intercambio en su colegio?** Is it really expensive?

El programa de intercambio en mi colegio es muy divertido. Hay muchos estudiantes hispanos y hay becas...

5

Y, ¿es difícil obtener[1] una beca? ¿Qué debo hacer[2]?

6

Bueno. Primero, debes llenar[3] una solicitud. Debes ser de un país hispano y debes ser una estudiante excelente. ¿Interesada?

7

¡Sí! Mucho. ¡Ay...! Es tarde. No tengo ni un minuto que perder[4]... Tengo que irme. ¿Nos vemos?

¡Por supuesto Pilar! Hasta pronto.

8

1. obtener to get   **2. hacer** to do   **3. llenar** to fill out   **4. ni un minuto que perder** not a minute to lose

A. Ponle color
Find and hightlight three phrases on this page where **ser** is used to describe someone or something. Who or what is being described?

_____

_____

_____

B. Contesta
Choose the word or words that best complete each statement.

1. El club de español tiene... para estudiantes hispanos.

   a. becas   b. libros

2. Para obtener una beca es importante...

   a. ser muy simpático.
   b. ser buen estudiante.

3. Para obtener una beca es necesario...

   a. llenar una solicitud.
   b. ser americano.

C. Predice
Why do you think Pilar says: "No tengo ni un minuto que perder..."? What do you predict she will do next?

_____

_____

_____

_____

A. Haz una lista

Find four adjectives that Pilar uses to describe herself and list them here.

1. _____

2. _____

3. _____

4. _____

B. Contesta

Answer the following questions.

1. ¿De dónde es Pilar?

_____

2. ¿Cuántos años tiene ella?

_____

3. ¿Cuándo es su cumpleaños?

_____

C. Analiza

Why do you think Pilar wants to study in the States more than anything else?

_____

_____

_____

_____

¡Lista! Después de todo… "El peor intento es el que no se hace[5]."

Pilar can't believe it. **¡Una beca!** Why didn't she think of that before? She might actually be able to do it… Imagine: going to the States!

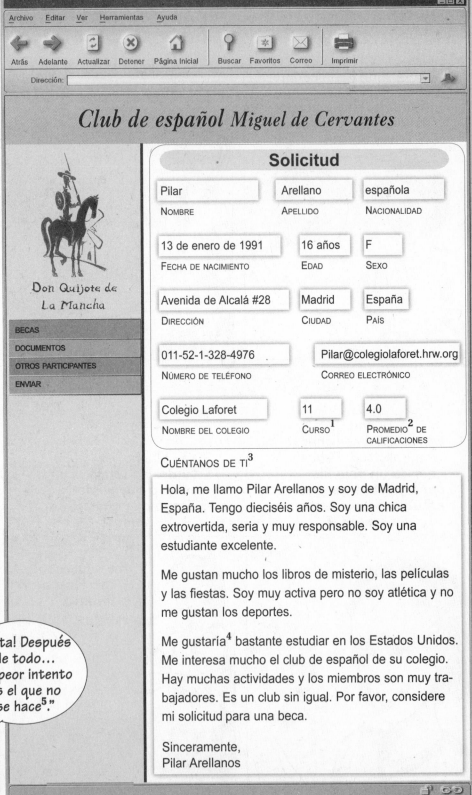

Club de español Miguel de Cervantes

Archivo   Editar   Ver   Herramientas   Ayuda

Atrás   Adelante   Actualizar   Detener   Página Inicial   Buscar   Favoritos   Correo   Imprimir

Dirección:

Don Quijote de La Mancha

BECAS
DOCUMENTOS
OTROS PARTICIPANTES
ENVIAR

Solicitud

Pilar	Arellano	española
NOMBRE	APELLIDO	NACIONALIDAD

13 de enero de 1991	16 años	F
FECHA DE NACIMIENTO	EDAD	SEXO

Avenida de Alcalá #28	Madrid	España
DIRECCIÓN	CIUDAD	PAÍS

011-52-1-328-4976	Pilar@colegiolaforet.hrw.org
NÚMERO DE TELÉFONO	CORREO ELECTRÓNICO

Colegio Laforet	11	4.0
NOMBRE DEL COLEGIO	CURSO[1]	PROMEDIO[2] DE CALIFICACIONES

CUÉNTANOS DE TI[3]

Hola, me llamo Pilar Arellanos y soy de Madrid, España. Tengo dieciséis años. Soy una chica extrovertida, seria y muy responsable. Soy una estudiante excelente.

Me gustan mucho los libros de misterio, las películas y las fiestas. Soy muy activa pero no soy atlética y no me gustan los deportes.

Me gustaría[4] bastante estudiar en los Estados Unidos. Me interesa mucho el club de español de su colegio. Hay muchas actividades y los miembros son muy trabajadores. Es un club sin igual. Por favor, considere mi solicitud para una beca.

Sinceramente,
Pilar Arellanos

---

1. Curso grade   **2. Promedio** Average   **3. Cuéntanos de ti** Tell us about yourself
4. Me gustaría I would like   **5. "El peor intento es el que no se hace."** "Nothing ventured, nothing gained".

Después de leer

A En contexto

Choose the words that best complete each sentence.

1. A Pilar le gustan…

    a. los deportes.
    b. las frutas.
    c. las verduras.

2. A Pilar y a Graciela les gustan…

    a. los libros.
    b. las frutas.
    c. los helados.

3. Según *(according to)* Graciela, el programa de intercambio de su colegio es…

    a. divertido.
    b. pésimo.
    c. bueno.

4. Para participar en el programa debes…

    a. tener más de diecisiete años.
    b. ser de un país hispano.
    c. tener un pasaporte.

5. Pilar tiene…

    a. catorce años.
    b. quince años.
    c. dieciséis años.

6. Para obtener una beca debes…

    a. ser buen estudiante.
    b. ser atlético.
    c. ser gracioso.

7. A Pilar le gustan…

    a. los libros y las fiestas.
    b. las películas y los videojuegos.
    c. los videojuegos y los deportes.

8. A pilar le gusta el club de español porque…

    a. hay muchos estudiantes.
    b. hay muchos profesores.
    c. hay muchas actividades.

B Llena la solicitud

Fill out the application below with your own information. Remember to look for cognates and other words in the context to help you figure out the meaning of words you don't know.

Solicitud

NOMBRE   APELLIDO   NACIONALIDAD

FECHA DE NACIMIENTO   EDAD   M   F   SEXO

DIRECCIÓN   CIUDAD   PAÍS

NÚMERO DE TELÉFONO   CORREO ELECTRÓNICO

NOMBRE DEL COLEGIO   CURSO   PROMEDIO DE CALIFICACIONES

C ¡Piénsalo bien!

1. Based on the reading, do you think Pilar is a good candidate to receive a scholarship? Give examples from the reading to support your opinion.

_____

_____

2. After filling out her application, Pilar's thought is: "**El peor intento es el que no se hace**". *"Nothing ventured, nothing gained"*. How do you interpret that saying? What does it tell you about Pilar's personality?

_____

_____

3. Do you know similar sayings in English? Give one example and explain what it means.

_____

_____

D ¡Exprésate!

Are you outgoing or introverted? Do you like sports, or do you prefer to listen to music at home? Fill out the chart with your very own description: physical appearance, personality traits, and things you like and dislike.

Mi apariencia física

_____

_____

_____

Me gusta(n)…

_____

_____

_____

Mi personalidad

_____

_____

No me gusta(n)…

_____

_____

E Un poco más

Pretend you have been selected to participate in an student exchange program. Use your notes from **!Exprésate!** and write a letter to the family who will host you during your stay. Introduce yourself and tell them every thing they would want to know about you. **¡Sé honesto(a)!**

Parques nacionales: Saving Nature

National parks are created by governments to preserve their countries' natural resources from being bought and developed. National parks exist to preserve forests, beaches, wildlife, indigenous grounds, biological treasures, even architecture.

Costa Rica, with its unique and vast species of flora and fauna (somewhere between 500,000 and a million species!), has created a stunning system of national parks to protect its ecosystems. Among the many parks are **Braulio Carrillo,** with its gorgeous rainforest; and **volcán Irazú,** with the highest volcano in the country and views of both the Atlantic and Pacific coasts.

Many other Latin American countries have taken measures to save areas of ecological importance. Ecuador declared **las islas Galápagos** *(Galapagos Islands)* a national park in 1934. In the foothills of the Andes Mountains, in Argentina, the national park **Nahuel Haupi** contains some beautiful lakes in its 2 million acres. The world's highest waterfall, **el Salto del Ángel** *(Angel Falls)*, can be seen at Venezuela's Canaima National Park. And the rainforest at **el Yunque** in Puerto Rico is a hiker's paradise.

Mexico also has national reserves like **el Potosí**, a wildflower and wildlife reserve in San Luis Potosí and many national parks, some of which preserve natural formations, like the Cacahuamilpa Caves in the state of Guerrero or the mountain **cerro de Garnica** in Michoacán. As development around the world increases, national parks become treasures to be cherished and respected.

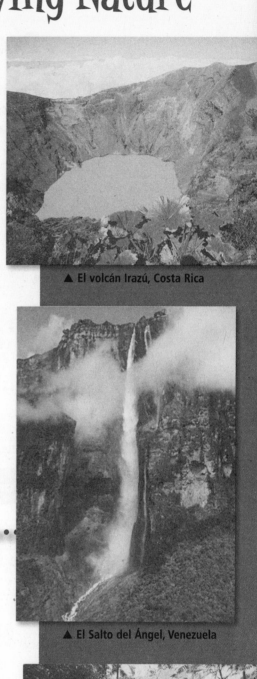

▲ El volcán Irazú, Costa Rica

▲ El Salto del Ángel, Venezuela

¡Exprésate!

1. Who creates national parks? Why is that important?

_____

_____

2. Why do you think Costa Rica developed a system of national parks?

_____

_____

_____

3. Is there a national park in your area? What is being preserved there?

_____

_____

_____

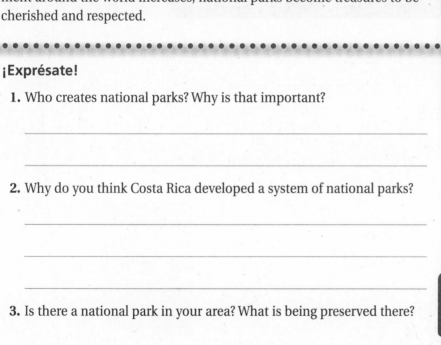

▲ El Yunque, Puerto Rico

El coquí
Prepárate: vocabulario

Before you read **el Coquí,** study the words in **Mi pequeño diccionario** and do the activities that follow. Knowing these words will help you understand the reading.

Mi pequeño diccionario

amarillo *yellow*

anaranjado *orange*

azul *blue*

cada noche *each night*

cantan *(they) sing*

come *(it) eats*

dorado *golden*

fuerte *very strong, powerful*

la isla *the island*

nunca *never*

pequeño(a) *small*

una rana *a frog*

salen *(they) go out*

se oye *is heard*

tu vecindario *your neighborhood*

verde *green*

la voz *the voice*

Actividades

A Categorías

Complete each one of these categories with words from **Mi pequeño diccionario.**

	colors	sound	time and place
1.			
2.			
3.			
4.			

B El coquí

Choose the best Spanish word to complete each sentence about **el coquí.**

1. El coquí es una especie de _____.

2. El coquí es una rana muy _____.

3. La _____ del coquí es fuerte.

4. Los coquíes _____ cada noche.

5. El coquí _____ insectos.

6. ¿Hay coquíes en tu _____?

> pequeña
> come
> vecindario
> voz
> rana
> salen

Estrategia para leer

Antes de leer

Background knowledge is the information you already know about a subject. Before you read, take a minute to recall what you know about the topic.

A **¿Qué sabes?**

What do you know about frogs? Write down what you already know in the chart below. Write your notes in English.

Las ranas
General description: Size, color, call
Development: Stages they go through.
Environment: Place where they live and things they eat.
Value to humans:

Para empezar...
What do you think a rainforest is like? Have you ever been to one? Explain.

_____

_____

Acuérdate

In Spanish, definite articles agree with nouns in gender and number.

el concier**to**   **la** ran**a**

los concier**tos**   **las** ran**as**

A. Identifica

1. Circle four nouns on this page. Then, write them down with their correct definite articles.

_____   _____

_____   _____

B. Contesta

Choose the best answer for each question.

1. What is the paragraph about?

   a. ranas   **b.** guitarras

2. Which word tells you that the sound of the frogs is loud?

   a. fuerte   **b.** voz

3. How many species of **coquíes** are there in Puerto Rico?

   a. veintitrés   **b.** dieciséis

C. Analiza

In the article, what are the sounds of the **coquíes** compared to? Does that help you to imagine how they sound?

_____

_____

El coquí

Puerto Rico's Yunque rainforest covers 28,000 acres and is one of the oldest reserves in the Western Hemisphere. It is the only rainforest in the U.S. National Forest System. The rainforest averages 240 inches of rain a year. The Yunque is home to 13 species of a tiny frog called the **coquí.** These frogs are considered a national symbol for the island. Read the following article to learn more about this unique amphibian.

Estruendo[1] musical

La voz más famosa de Puerto Rico es la de una pequeña especie de rana que se llama coquí. Hay dieciséis especies de coquíes en Puerto Rico y trece de ellas viven en el Parque Nacional del Yunque. Se llama coquí porque por la noche miles de estas ranas salen y emiten un coro de cantos[2], "co-quí". El estruendo es muy fuerte porque una sola rana puede emitir hasta 100 decibeles, igual que[3] una guitarra eléctrica. ¡Imagina un concierto de miles de guitarras eléctricas en tu vecindario cada noche! El canto del coquí se oye por toda la isla de Puerto Rico.

....

1. Estruendo racket   **2. un coro de cantos** chorus of calls, songs   **3. igual que** the same as

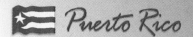
Puerto Rico

No soy renacuajo[1]

El coquí es una especie de rana muy interesante porque nunca pasa por una etapa[2] de renacuajo. La madre, o hembra[3], pone aproximadamente 28 huevos[4]. El padre, o macho[5], cuida de[6] los huevos. Después salen los coquíes bebés, ¡ya en forma de rana!

De muchos colores

Algunas personas, aun los puertorriqueños, piensan[7] que el coquí es solamente[8] verde. La verdad es que hay coquíes de muchos colores: marrones, grises, amarillos, azules, verdes o anaranjados, como el coquí dorado[9] en esta foto. El coquí es muy importante en Puerto Rico porque come gran cantidad de insectos como mosquitos. Es un símbolo nacional y su música resuena[10] por toda la isla.

1. **renacuajo** tadpole   2. **pasa por una etapa** goes through a stage   3. **hembra** female   4. **huevos** eggs   5. **macho** male   6. **cuida de** takes care of   7. **piensan** (they) think   8. **solamente** only   9. **dorado** golden   10. **resuena** resonates

Mientras lees

✎ **A. Haz una lista**
Coquíes come in many colors. List all the colors mentioned in the text.

_____

_____

_____

_____

B. Contesta
Write **c)** for **cierto** or **f)** for **falso**, based on the readings about the **coquíes**. Correct the statements that are false.

_____ **1.** El coquí es solamente *(only)* verde.

_____

_____ **2.** El coquí nunca es renacuajo.

_____

_____ **3.** El coquí come verduras.

_____

_____ **4.** El coquí es un símbolo nacional de Puerto Rico.

_____

C. ¡Exprésate!
Does your state have an animal as a symbol? What is it? Why is it important to your state?

_____

_____

_____

_____

Después de leer

A En contexto

Choose the word or words that best complete each statement.

1. La voz del coquí es muy…
   a. pequeña.
   b. famosa.
   c. tímida.

2. Se llama coquí porque canta…
   a. co-quí.
   b. muy fuerte.
   c. cada noche.

3. El coquí bebé nunca es…
   a. rana.
   b. renacuajo.
   c. anaranjado.

4. Los coquíes salen cada…
   a. mañana.
   b. tarde.
   c. noche.

5. Los coquíes son…
   a. solamente verdes.
   b. azules y amarillos.
   c. de muchos colores.

6. El coquí come…
   a. flores.
   b. insectos.
   c. frutas.

B En resumen

Choose the words from the box that best complete the paragraph about **el coquí**.

noche	rana	voz
salen	fuerte	pequeña
nunca		

El coquí es la 1. _____ más famosa de Puerto Rico. Es una rana muy

2. _____. Los coquíes 3. _____ son renacuajos y son de

muchos colores. El coquí tiene una voz muy 4. _____. Cada

5. _____ los coquíes 6. _____ y cantan *co-quí.* Su

7. _____ se oye por toda la isla. El coquí es un símbolo nacional.

C **¡Piénsalo bien!**

Answer the following questions.

1. What did you think of the **coquí** and its importance to Puerto Rico?

_____

_____

2. Can you think of another animal that has an important symbolic value to the United States? What do you think that animal represents?

_____

_____

3. Do you know of any animal species in your state that are unique or endangered?

_____

_____

D **¡Exprésate!**

Have you ever been to a national park? Which one? Describe your experience. If you haven't been to one, think of one you would like to travel to in the United States and say why you'd like to go there.

_____

_____

_____

_____

_____

_____

_____

_____

_____

_____

▲ Parque Nacional de Yosemite, California

E **Un poco más**

Do some research on the Internet about one of the animal species in **El Yunque**. Make a chart like the one on page 27 and fill it in with all the information you can find about that species. Print out a picture of the animal from your Internet research, and present it with your findings to the class.

Capítulo 3

Cuentos y cultura

In **Cuéntame un cuento,** you will read the first on-line edition of the Spanish Club's newspaper. In **Cultura hispana** you will learn about **artistas biculturales** in the United States and you will read about Carmen Lomas Garza, an artist whose paintings depict everyday moments in Mexican-American life on the border of Texas and Mexico.

Cuéntame un cuento

¡Aquí y ahora!

The Spanish Club members are celebrating the debut of their first on-line newspaper: *¡Aquí y ahora!* Go to their website to see what their newspaper can offer, and take a poll about the activities students engage in during their free time. Can you predict the results of the poll? 36

Cultura hispana

▲ Cama para sueños
(Bed for dreams) by
Carmen Lomas Garza

Artistas biculturales: *Double identity*

What does it mean to be bicultural? Why does being bicultural inspire art? Where can you see the work of **artistas biculturales**? 41

Obras de Carmen Lomas Garza

Carmen Lomas Garza is an artist and a children's book author whose culture is in every stroke of her paintings. You'll find out more about her life and her family when you see her work and read her nostalgic descriptions 44

Texas

¡Aquí y ahora!
Prepárate: vocabulario

Before you read the online student newspaper, **¡Aquí y ahora!,** review some words you already know in **Ya sé** and study the new words in **Mi pequeño diccionario.** Then, do the activities that follow. Knowing these words will help you understand the reading.

¡Ya sé...!

dibujar *to draw*

escuchar música *to listen to music*

hacer ejercicio *to exercise*

ir de compras *to go shopping*

jugar videojuegos *to play video games*

montar en bicicleta *to ride a bike*

navegar por Internet *to surf the Internet*

patinar *to skate*

la playa *the beach*

practicar deportes *to practice sports*

salir con amigos *to go out with friends*

ver televisión *to watch television*

Mi pequeño diccionario

¡Claro que no! *No way!*

encuesta *poll*

favorito(a) *favorite*

jóvenes *young people*

les encanta(n) *they love it!*

maestros *teachers*

¡Por supuesto! *Of course!*

resultados *results*

saber *to know (information)*

tiempo libre *leisure time*

Actividades

A **La palabra intrusa**
Choose the word that doesn't belong in each list.

1. jóvenes, maestros, resultados

2. ¡Por supuesto!, tiempo libre, la playa

3. saber, patinar, ver televisión

4. favorito, resultados, encuesta

B **¿Qué te gusta hacer?**
List four activities that you would you do on a sunny day and on a rainy day.

Cuando hace sol...	Cuando llueve...
1.	
2.	
3.	
4.	

C ¿Sí o no?

Check **¡Por supuesto!** or **¡Claro que no!,** based on your own likes or dislikes.

Pregunta	¡Por supuesto!	¡Claro que no!
1. ¿Te gusta jugar video-juegos?		
2. ¿Te gusta ir de compras?		
3. ¿Te gusta ir a la playa?		
4. ¿Te gusta pasar el rato solo(a)?		
5. ¿Te gusta montar en bicicleta?		

Memo y Mimí hablan por teléfono

Acuérdate de la gramática

You have learned the conjugation of **-ar** verbs. Remember that you have to replace the **-ar** ending of the infinitive with these endings.

Cantar

yo cant**o**	nosotros cant**amos**
tú cant**as**	vosotros cant**áis**
Ud., él, ella cant**a**	Uds., ellos, ellas cant**an**

D ¿Qué hacen los jóvenes?

Complete the sentences saying what you think these persons might normally do, based on the descriptions given.

> Modelo **A Juan le gustan las computadoras.**
> **Todos los días <u>navega por la red</u>.**

1. Sergio y Raúl son muy atléticos.

Todos los días _____.

2. Mi mejor amiga es guitarrista.

Siempre _____.

3. Yo soy muy tímida.

Casi siempre _____.

4. A Eva le gusta el arte.

Después de clases _____.

5. A mis amigos y a mí nos gusta la piscina.

Los fines de semana _____.

> escuchar música
> practicar muchos deportes
> dibujar
> pasar el rato solo(a)
> nadar

Estrategia para leer

Headlines You can often figure out what a reading is about simply by looking at the title. The title carries the theme of the reading. Knowing the theme allows you to predict what the selection is about before you read it.

Practica la estrategia

A **Titulares**

Scan the titles for some of the articles in **¡Aquí y ahora!,** the Spanish Club's on-line newspaper. What do you think the articles will be about?

Archivo   Editar   Ver   Herramientas   Ayuda

Atrás   Adelante   Actualizar   Detener   Página Inicial   Buscar   Favoritos   Correo   Imprimir

MÁS NOTICIAS

ARTE Y LITERATURA

OPINIONES Y MÁS

Don Quijote de La Mancha

1 Presidenta del club de español reporta desde España

2 Resultados de la encuesta

3 Eva del Castillo habla de su arte

4 Querida Sabelotodo...

Mis predicciones

1. _____

_____

2. _____

_____

3. _____

_____

4. _____

_____

Prepárate...

Do you read your school's student newspaper regularly? What information do you like to look for?

_____

_____

A. Haz una lista

List three things that students from Spain enjoy doing at the park.

1._____

2._____

3._____

B. Contesta

Choose the words that best complete each sentence.

1. Los chicos españoles van mucho...

   a. al teatro. **b.** a fiestas.

2. Graciela va todos los días...

   a. al colegio. **b.** a la playa.

3. Eva habla de...

   a. su colegio. **b.** sus dibujos.

C. Compara

Are students from Spain much different from American students when it comes to leisure activities? Give examples from the reading to support your opinion.

_____

_____

_____

_____

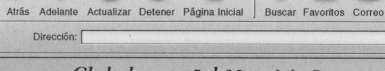

Club de español Miguel de Cervantes

Don Quijote de La Mancha

¿QUIÉNES SOMOS?

ESTA EDICIÓN

DATOS AL DÍA

OPINIONES

ENTRETENIMIENTO

MÚSICA   DVDs
JUEGOS   HUMOR

MÁS NOTICIAS

ARTE Y LITERATURA

INSCRÍBETE

CONTÁCTANOS

Pop en español
101.5

¡La música favorita de todos!

USUARIO _____
CONTRASEÑA _____
ENTRAR

¡Aquí y ahora!

Noticias en línea y en español

La Red [_____] BUSCAR

Bienvenidos a ¡Aquí y ahora!, la primera edición en línea del periódico del club de español Miguel de Cervantes.

Presidenta del club de español reporta desde España

Hola compañeros del club, amigos y amigas. ¡España es fenomenal en verano! Éste es el parque El Retiro. Es muy bonito y siempre está lleno de[1] gente. Allí[2], los jóvenes montan en bicicleta, patinan o pasan el rato con sus amigos. A los jóvenes españoles les gusta mucho navegar por Internet y ver televisión, igual que a nosotros. También les encantan las fiestas. ¡Por supuesto, ellos están de vacaciones de verano y yo no! Yo tengo que ir al colegio todos los días. Pero bueno, cada cosa a su tiempo[3]. Es todo por el momento.

Parque El Retiro, Madrid, España

Nos vemos,
Graciela

Eva del Castillo habla de su arte

Aquí tienes, Tigre. Te gusta la pizza, ¿verdad?

Me encanta dibujar. Dibujo desde[4] los cinco años y quiero estudiar arte en la universidad. Dibujo sobre mi familia, el colegio, mis amigos y más. Pero,... me gusta dibujar sobre cosas[5] contrarias a la realidad. ¡Es muy divertido!

---

1. está lleno de it is filled with **2. allí** there **3. cada cosa a su tiempo** there is a time for everything **4. desde** since **5. cosas** things

Club de español Miguel de Cervantes

Don Quijote de La Mancha

ESTA EDICIÓN

DATOS AL DÍA

OPINIONES

ENTRETENIMIENTO
- MÚSICA | DVDs
- JUEGOS | HUMOR

MÁS NOTICIAS

ARTE Y LITERATURA

INSCRÍBETE

CONTÁCTANOS

EL CLIMA DEL HOY

¿Qué tiempo hace?
HACE SOL   82°

Más información

EVENTOS DEL MES

OCTUBRE

l	m	m	j	v	s	d
		1	2	3	4	5	6
7	8	9	10	11	12	13
14	15	16	17	18	19	20
21	22	23	24	25	26	27
28	29	30	31			

NOVIEMBRE   DICIEMBRE

USUARIO [   ]
CONTRASEÑA [   ]
ENTRAR

La Red [   ] BUSCAR

Datos al día

¿Cuál es la actividad favorita de los estudiantes?
Encuesta realizada por[1] los estudiantes de club de español.

1. ¿Cuál es tu actividad favorita?
   - practicar un deporte
   - navegar por Internet
   - salir con amigos
   - escuchar música
   - jugar videojuegos
   - ver televisión
   - otra

2. ¿Con qué frecuencia participas en esta actividad?
   - 1-5 horas por semana
   - 5-10 horas por semana
   - 10-15 horas por semana
   - 15-20 horas por semana
   - otra

RESULTADOS

Proverbio del día
Siete son los maestros de todo lo que yo sé ¿qué, quién, cómo, cuándo, dónde, por qué y para qué?
Pirkei Abot, Talmud de Babilonia

¿De moda? 👍 **¿Sí o no?** 👎

¡Sí!	¡Claro que no!
DVDs	videocasetes
videojuegos	juegos de mesa
parques	centros comerciales
fútbol	fútbol americano
playas	piscinas
hacer ejercicio	comida rápida[2]
salir con amigos	pasar el rato solo(a)

Vota ahora   VOTA ¡Sí!
                 VOTA ¡Claro que no!

---

1. **realizada por** conducted by   2. **comida rápida** fast food

A. Identifica
Complete the survey by putting a check mark next to your responses.

B. Contesta
How would the following people most likely answer the first question in the poll?

1. un atleta
   ____ **a.** practicar un deporte
   ____ **b.** jugar videojuegos

2. un guitarrista
   ____ **a.** escuchar música
   ____ **b.** ver televisión

3. una persona extrovertida
   ____ **a.** navegar por Internet
   ____ **b.** salir con amigos

4. Based on today's weather, what would you rather do?
   ____ **a.** jugar videojuegos
   ____ **b.** ir al parque

C. Explica
Pick a pair of items from the **¿De moda:? ¿Sí o no?,** and explain why in your opinion, one thing is "in" and the other thing is "out".

_____

_____

_____

_____

A. Identifica

What percentage of students prefer to surf the Net over all other activities? Why do you think surfing the Net is so popular?

_____

_____

_____

B. Contesta

Choose the words that best complete each sentence.

1. La actividad favorita de los estudiantes es…

a. practicar deportes.

b. navegar por Internet.

2. Los deportistas pasan… tiempo en su actividad que otros estudiantes.

a. más **b.** menos

3. Extrovertida quiere… con un chico que le gusta.

a. patinar **b.** hablar

4. En 101.5 hay música… en español.

a. folclórica **b.** moderna

C. ¡Exprésate!

Say what your three favorite leisure-time activities are. Say how much time you spend in a week engaged in each activity.

_____

_____

_____

_____

Archivo Editar Ver Herramientas Ayuda

Atrás Adelante Actualizar Detener Página Inicial | Buscar Favoritos Correo | Imprimir

Dirección:

Club de español Miguel de Cervantes

- ¿QUIÉNES SOMOS?
- ESTA EDICIÓN
- DATOS AL DÍA
- OPINIONES
- ENTRETENIMIENTO
  - MÚSICA DVDs
  - JUEGOS HUMOR
- MÁS NOTICIAS
- ARTE Y LITERATURA
- INSCRÍBETE
- CONTÁCTANOS
- EL CLIMA DEL HOY

¿Qué tiempo hace?
HACE SOL 82°

Más información

EVENTOS DEL MES

OCTUBRE

l	m	m	j	v	s	d
		1	2	3	4	5	6
7	8	9	10	11	12	13
14	15	16	17	18	19	20
21	22	23	24	25	26	27
28	29	30	31			

NOVIEMBRE DICIEMBRE

Pop en español
101.5
¡La música favorita de todos!

USUARIO ____
CONTRASEÑA ____
ENTRAR

La Red [_____] BUSCAR

Opiniones y más...

¿Navegar por Internet o practicar un deporte?

Resultados de la encuesta

La actividad favorita de los estudiantes es navegar por Internet.

Practicar un deporte está en segundo lugar. Pero, los deportistas tienen el primer lugar en cuanto al[1] tiempo dedicado a su deporte. ¿Te sorprende[2]?

Actividades favoritas

22%
43%
25%
20%

- Navegar por Internet
- Ver televisión
- Jugar deportes
- Otras actividades

Tiempo dedicado a estas actividades

0 5 10 15 20

- Navegar por Internet (10 a 15 horas por semana)
- Ver televisión (10 a 20 horas por semana)
- Jugar deportes (14 a 20 horas por semana)

Número de Votantes: 189
Primer voto: 21 de septiembre 17:15
Último[2] voto: 3 de octubre 22:06

Querida Sabelotodo,

Me gusta un chico muy especial. Es serio, inteligente y guapo, pero es muy, muy tímido… ¡¡No le gusta hablar!! ¿Qué debo hacer?

Extrovertida

Querida Extrovertida,

A muchos chicos no les gusta hablar. Debes comunicarte con él por correo electrónico. Invítalo[3] a participar en las reuniones del club de español. Así[4], él va a saber tu dirección de correo electrónico.

1. en cuanto al in terms of **2. ¿Te sorprende?** Does it surprise you? **3. Invítalo** invite him **4. Así** That way

Después de leer

A En contexto

Choose the words that best complete each statement.

1. El Retiro es un parque en…

   a. México.
   b. España.
   c. Estados Unidos.

2. A los chicos españoles les gusta… en el parque.

   a. montar en bicicleta
   b. navegar por Internet
   c. ver televisión

3. Graciela va… todos los días.

   a. al parque
   b. a las fiestas
   c. al colegio

4. Eva quiere… en la universidad.

   a. jugar deportes
   b. estudiar arte
   c. ser profesora

5. Según *(according to)* el proverbio, los siete maestros son…

   a. siete personas.
   b. siete respuestas.
   c. siete preguntas.

6. Según los resultados de la encuesta, la actividad más popular entre los estudiantes es…

   a. navegar por Internet.
   b. ver televisión.
   c. escuchar música.

7. … están de moda.

   a. Los parques, el fútbol y la playa
   b. Los DVD's, juegos de mesa y piscinas
   c. Los videocasetes, la comida rápida y los videojuegos

8. A Extrovertida le gusta un chico a quien…

   a. no le gustan los deportes.
   b. no le gusta hablar.
   c. no le gusta pasar el rato solo.

B ¿Cierto o falso?

Write **c)** for **cierto** and **f)** for **falso** based on the context of the reading. Correct the statements that are false.

_____ **1.** A Eva del castillo le gusta escribir rimas.

_____

_____ **2.** A los chicos españoles les encantan las fiestas.

_____

_____ **3.** Ver televisión es la actividad favorita de los estudiantes.

_____

_____ **4.** Extrovertida debe hablar por teléfono con el amigo que le gusta.

_____

_____ **5.** *¡Aquí y ahora!* es la página Web del club de español.

_____

C **¡Piénsalo bien!**

Answer the following questions.

1. What was your favorite part of the on-line newspaper **¡Aquí y ahora!** and why?

_____

_____

2. In Eva's description of her own drawings she says that she likes to draw things that are contrary to reality. Besides being fun, why do you think she does that?

_____

_____

3. How do you interpret the **Proverbio del día?** What is the moral and how can you apply it to your own life?

_____

_____

_____

D **¡Exprésate!**

Write your very own letter to **Querida Sabelotodo** telling her in detail about an imaginary problem you need help with. Be creative!

Querida Sabelotodo,

_____

_____

_____

_____

_____

_____

E **Un poco más**

Now, exchange letters with a class-mate and play the part of **Querida Sabelotodo**. Answer his/her letter with the best advice that you can give. Your classmate will do the same for you. Have fun!

Querido (a),

_____

_____

_____

_____

_____

_____

Artistas biculturales: Double Identity

The United States is home to a great number of people from other cultures. Over the centuries, many families and individuals have moved here from other countries for different reasons. In the Southwest, many Mexicans became United States citizens when Mexico lost part of its territories to the United States. As American citizens, Puerto Ricans have formed communities all over the United States, many of them on the East Coast. A large Cuban American community is flourishing in Miami. A growing population of Dominican Americans has made New York City its home.

What all these people have in common is that they are *bicultural*. A person is bicultural if he or she lives in one culture, but has descended from another. Being bicultural can inspire a lot of creativity. The need to compare and contrast the artist's two cultures is often expressed as art.

In the United States, the community of Americans of Latin American descent is filled with artists, performers, authors, and poets. In the Mexican-American community in San Francisco, you can go to **el Centro Cultural de la Misión** to see art exhibits, watch a play, or take dance classes. If you prefer the visual arts, you can go to **el Museo del Barrio** in New York, or the *Museum of Latin American Art* in Long Beach, California. Some museums even have traveling exhibitions that you could see near where you live.

If you like to read, you can check out the work of Sandra Cisneros, a Chicana from Chicago who lives in San Antonio, Texas. One of her recent novels, *Caramelo*, is a generational tale of life in Mexico and the United States. You can also read, in English, the novels of Esmeralda Santiago, a Puerto Rican now living in New York, who is known for her book *When I Was Puerto Rican*. Here you will read fragments of the work by Carmen Lomas Garza, one of the best-known Mexican American artists, famous for her beautifully illustrated children's stories. The work of **artistas biculturales** is everywhere! You just have to know where to look.

▲ Traveling exhibition from El Museo del Barrio at the Tampa Museum of Art

▲ Caramelo, de Sandra Cisneros

¡Exprésate!

1. What does it mean to be *bicultural*?

_____

_____

_____

2. Do you agree that being *bicultural* might inspire creativity? Why or why not?

_____

_____

_____

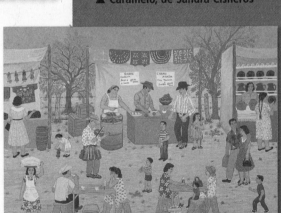
▲ La feria en Reynosa, de Carmen Lomas Garza

Obras de Carmen Lomas Garza
Prepárate: vocabulario

Before you read **Obras de Carmen Lomas Garza,** study the words in **Mi pequeño diccionario** and do the activities that follow. Knowing these words will help you understand the reading.

Mi pequeño diccionario

abuelita *grandmother*   **maíz** *corn*   **representar** *to represent*
abuelo *grandfather*   **mujer** *woman*   **tíos** *uncle and aunt*
ayudar *to help*   **mamá** *mother*   **tocar** *to play (instruments)*
carne *meat*   **miembros** *members*   **todos** *everyone*
cocina *kitchen*   **padres** *parents*   **un(a)** *a*
criatura *creature*   **pareja** *couple*   **vestido** *dress*
hermana *sister*   **preparar** *to prepare*   **viejito** *little old man*

Actividades

A La palabra intrusa

Underline the word that does not belong in each series.

1. mamá	hermana	abuelita	padre
2. ayudar	tocar	cocina	preparar
3. vestido	música	tocar	baile
4. maíz	mujer	carne	tamal

B Elige

Choose the word that best completes each sentence.

1. Un bebé es una _____.

2. Un hombre de 90 años es un _____.

3. Los hermanos de mi madre son mis _____.

4. Un señor y su señora son una _____.

5. Los tíos y los abuelos son _____ de la familia.

a. miembros
b. criatura
c. pareja
d. viejito
e. tíos

Estrategia para leer

Antes de leer

Visual clues will help you determine in advance what a reading might be about. Before you try to read a text, look at the title and at any visual clues, such as photos or illustrations. Very often these clues provide you with enough information to figure out what the text is about.

Practica la estrategia

A **¿Qué ves?**

Think about the people in the painting: who they are, how they may be related, where they are and what they are doing. Then, use words from **Mi pequeño diccionario** to answer these questions and predict what the story will be about.

▲ Tamalada de Cuadros de familia

Mis apuntes

Tema:

¿Cuántas personas hay?

¿Cuántos hombres, mujeres y niños?

¿Dónde están?

¿Quiénes son?

¿Qué hacen?

Mi predicción

Para empezar…
Have you ever eaten a **tamal**?
Do you know what it is?

_____

_____

A. Subraya

1. Underline all the words for family members on this page. How many members are named?

_____

_____

B. Contesta

Choose the word or words that best complete each statement.

1. Esta historia es sobre…

   a. la familia de la artista.
   b. una familia que baila.

2. Hay… personas en esta pintura.

   a. dieciséis   **b.** catorce

3. … ayudan a preparar los tamales.

   a. Todos los miembros de la familia
   b. Sólo las mujeres

C. Analiza

What does the painting say about the artist's family? What do you think the artist wants us to feel about her family?

_____

_____

_____

Obras de Carmen Lomas Garza

Carmen Lomas Garza is one of the best-known Mexican American painters. In 1990 she published her first children's book, **Cuadros de familia**, in which she combines her paintings with her own warm writing style. She uses the book to explain her work and describe her childhood in Kingsville, Texas, near the border with Mexico. In her second book, **En mi familia**, 1996, Lomas Garza once again shares her memories of growing up in a traditional Mexican American community and family. Read the following excerpts from these two books to experience a slice of life on the Texas border.

La tamalada de Cuadros de familia

Ésta es una escena de la cocina de mis padres. Todos están haciendo[1] tamales. Mi abuelo tiene puesto[2] rancheros azules y camisa azul. Yo estoy al lado de él, con mi hermana Margie. Estamos ayudando a remojar las hojas secas[3] del maíz. Mi mamá está esparciendo la masa[4] de maíz sobre las hojas, y mis tíos están esparciendo la carne sobre la masa. Mi abuelita está ordenando los tamales que ya están enrollados, cubiertos y listos para cocer[5]. En algunas familias sólo las mujeres preparan tamales, pero en mi familia todos ayudan.

▲ *Tamalada* (1990)

....

1. Todos están haciendo Everyone is making   **2. tiene puesto** is wearing   **3. remojar las hojas secas** to soak the dry leaves   **4. esparciendo la masa** spreading the dough
5. enrollados, cubiertos y listos para cocer rolled, covered and ready to cook

▲ *El baile en el Jardín*

Baile en el Jardín de En mi familia

Ésta es una noche de sábado en El Jardín, un restaurante familiar de mi pueblo natal[1]. Es verano y hace tanto calor que la gente baila afuera[2]. Un conjunto[3] toca con tambora[4], acordeón, guitarra y bajo[5]. Ésta es la música con la que crecí[6]. Todos bailan formando un gran círculo: las parejas jóvenes, las parejas más grandes[7], y los viejitos bailan con adolescentes o criaturas. Hasta los bebés se ponen a bailar.

Para mí, el baile representa fiesta, celebración. Aquí está la música, los hermosos[8] vestidos, y todos los miembros de la familia bailan juntos. Es como el cielo[9]. Es la gloria.

....

1. pueblo natal hometown **2. afuera** outside **3. conjunto** band **4. tambora** drum
5. bajo bass **6. con la que crecí** that I grew up with **7. más grandes** older
8. hermosos beautiful **9. el cielo** heaven

Mientras lees

Acuérdate
Remember the endings for conjugating **-ar** verbs.

Ayudar	
Singular	**Plural**
ayud**o**	ayud**amos**
ayud**as**	ayud**áis**
ayud**a**	ayud**an**

A. Describe
Use **-ar** verbs to describe two things you see in the painting.

_____

_____

B. Contesta
Write **c)** for **cierto** or **f)** for **falso**. Correct the statements that are false.

_____ 1. Es una noche de domingo.

_____

_____ 2. Es verano y hace mucho calor.

_____

_____ 3. Trece parejas bailan en un círculo.

_____

_____ 4. Una mujer toca la guitarra.

_____

C. ¡Exprésate!
Does your family ever dance together? At what occasions?

_____

_____

_____

Cultura hispana 45

Después de leer

A En contexto

Choose the word or words that best complete each statement.

1. La familia de Carmen es…
   a. pequeña.
   b. grande (large).
   c. tímida.

2. A ellos le gusta pasar el rato…
   a. en familia.
   b. con amigos.
   c. de compras.

3. Todos en la familia se reúnen (get together) para hacer…
   a. tamales.
   b. pizza.
   c. comida china.

4. Los sábados por la noche, a ellos les gusta…
   a. ver televisión.
   b. trabajar.
   c. bailar.

5. En el verano, … donde ellos viven (they live).
   a. hace frío
   b. hace calor
   c. hace viento

6. La familia de Carmen Lomas Garza es…
   a. divertida.
   b. perezosa.
   c. aburrida.

B En resumen

Choose the words from the box that best complete the paragraph about Carmen Lomas Garza.

bailan	tíos	abuelita	la cocina	representa
maíz	miembros	tocan	preparan	ayudan

Carmen Lomas Garza es una artista mexico-americana. En *La tamalada,* ella pinta sobre su familia. Todos están en 1. _____. Su abuelo, sus 2. _____, su hermana y ella 3. _____ a su mamá y a su 4. _____ a preparar deliciosos tamales mexicanos con 5. _____ y carne. En su familia no sólo las mujeres 6. _____ tamales. Todos los 7. _____ de la familia participan.

En *Baile en el jardín,* Carmen habla del baile. Para ella, el baile 8. _____ la celebración de la familia. Todos 9. _____ en parejas en un círculo mientras (while) los músicos 10. _____ su música favorita: la música de su infancia (childhood).

C ¡Piénsalo bien!

Answer the following questions in English.

1. When you saw the paintings, and before you read the stories, could you predict what the stories were going to be about? What did you predict?

_____

_____

2. Do you like the paintings? Why or why not?

_____

_____

3. Compare the activities of Carmen Lomas Garza's family in the first painting with their activities in the second painting. What does the comparison tell you about them?

_____

_____

D ¡Exprésate!

Do you think it's important to spend time with family enjoying all kinds of activities? Why or why not?

_____

_____

_____

_____

_____

_____

▲ En familia

E Un poco más

Write a paragraph in Spanish about a Saturday night with your family. Be as detailed as possible. List everybody who is there, their ages, what they're like, what they are all doing, and anything else that seems important to you.

_____

_____

_____

_____

_____

In **Cuéntame un cuento** you will read an amusing story about Eva, an imaginative girl who draws cartoons about her school life. In **Cultura hispana**, you will learn about folk art in Spanish-speaking countries and you will meet Gustavo, a young Costa Rican with a special talent.

Cuéntame un cuento

Cultura hispana

Costa Rica

Un día en la vida de Eva
Prepárate: vocabulario

Before you read **Un día en la vida de Eva**, review some words you already know in **¡Ya sé...!**, and study the words in **Mi pequeño diccionario**. Then, do the activities that follow. Knowing these words will help you understand the reading.

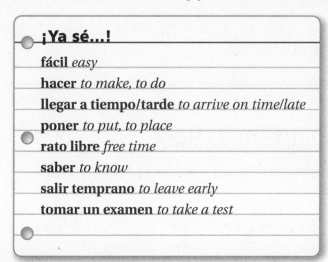

¡Ya sé...!

fácil *easy*

hacer *to make, to do*

llegar a tiempo/tarde *to arrive on time/late*

poner *to put, to place*

rato libre *free time*

saber *to know*

salir temprano *to leave early*

tomar un examen *to take a test*

Mi pequeño diccionario

dibujo *drawing*

equipo *team*

la mejor *the best*

¡Qué bien! *Very good!*

¡Qué horror! *What a nightmare!*

¡Qué puntual! *Right on time!*

¡Qué torpe! *How clumsy!*

siempre *always*

tiras cómicas *comic strip*

Actividades

A **Con lógica**
Match each phrase with the most logical word.

_____ **1.** llegar a tiempo   **a.** dibujos

_____ **2.** tiras cómicas   **b.** siempre

_____ **3.** tomar un examen   **c.** equipo

_____ **4.** practicar deportes   **d.** difícil

_____ **5.** todos los días   **e.** puntual

B **¿Qué dirías?**
What would you say in the following situations? Choose the phrases from **Mi pequeño diccionario** that would best follow these statements.

1. Your friend just hit a winning shot in volleyball. _____

2. Your friend forgot her homework assignment at home. _____

3. Your friend arrived at exactly the time she promised. _____

4. Your friend dropped all her books on the floor. _____

C Elige

Choose the word that best completes each sentence.

1. Yo casi siempre _____ temprano de casa.

2. Me gusta ser _____ y llegar a clase a tiempo.

3. Necesito mi _____ para hacer mi tarea.

4. Yo _____ que mi examen de español va a ser fácil.

5. Mi clase de español es _____. Es mi clase favorita.

sé
salgo
puntual
la mejor
calculadora

¡Ay, qué horror!
¡Siempre tengo prisa!

Acuérdate de la gramática

You have learned how to use **tener** in these common expressions.

tener ganas de + inf.	*to feel like (doing something)*
tener que + inf.	*to have to* + inf.
tener hambre	*to be hungry*
tener prisa	*to be in a hurry*
tener sed	*to be thirsty*

D Expresiones

Choose the expression that best completes each sentence and conjugate **tener** in the present tense.

1. Yo ya _____ almorzar. Tengo mucha hambre.

2. Nosotros siempre _____ después de jugar al volibol.

3. La clase de Amelia es a las ocho y son las ocho menos diez.

   Ella _____.

4. Nosotros _____ estudiar para el examen de mañana.

5. David tiene mucha tarea pero no _____ trabajar tarde esta noche.

Estrategia para leer

Mientras lees

Key questions To check your comprehension as you read a story, stop after each paragraph or section and ask yourself the *who, what, where, when, how,* and *why* of the story. Focusing on these questions will help you understand more of what you read, and it will make reading in Spanish more fun.

Practica la estrategia

A **Preguntas clave**
Read the title, the first paragraph and the first two panels of the story and complete the diagram in Spanish.

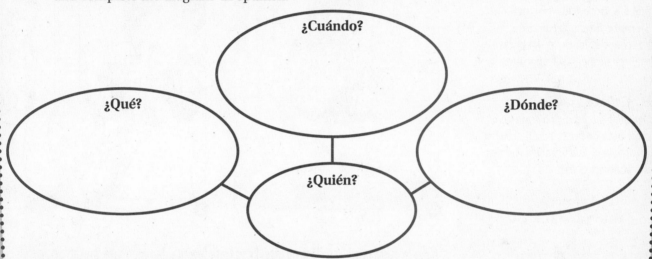

¿Cuándo?

¿Qué?

¿Dónde?

¿Quién?

B **Una imagen: más de mil palabras**
By looking at Eva's expression on the first two panels, how do you think she feels and why?

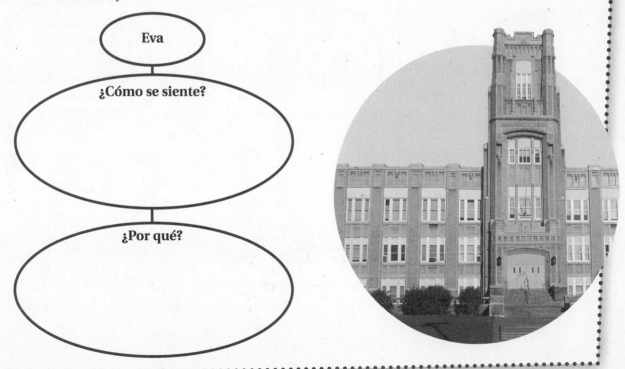

Eva

¿Cómo se siente?

¿Por qué?

Para empezar…
Have you ever had to go to a new school? How did you feel about it?

_____

_____

_____

A. Identifica

In the top two panels about Eva's real life, circle **¡qué horror!** and **Siempre llegas tarde.** Now, in her comic strip, circle the phrases that mean the exact opposite.

B. Contesta

Decide if the following statements are **cierto** or **falso**, based on what you know of Eva's real life. Correct the statements that are false.

_____ **1.** Eva siempre llega temprano a clase.

_____

_____ **2.** La profesora de Eva está enojada *(is upset)*.

_____

_____ **3.** A Eva le gusta mucho su clase de arte.

_____

_____ **4.** Eva no sabe nada de computación.

_____

C. Analiza

Why do you think Eva draws comic strips that are not like her life at all?

_____

_____

Un día en la vida de Eva

Eva está en un nuevo colegio este año. Ella tiene mucha imaginación y en sus ratos libres le gusta dibujar tiras cómicas. Compara lo que[1] pasa en su vida[2] real con los dibujos que ella hace de un día en su colegio.

A Eva le gusta mucho su clase de arte. Es su clase favorita. También sabe mucho de computación y tiene una página Web. Hoy va a dibujar sobre su vida en el colegio y va a poner sus dibujos en su página.

1. lo que what   **2. vida** life   **3. ¡Date prisa!** Hurry up!   **4. ya empezamos** we already started

A las once de la mañana Eva tiene clase de matemáticas. A ella no le gusta la clase porque es muy difícil y el profesor es muy estricto.

Después de la clase de matemáticas es la hora del almuerzo. Eva no tiene ganas de almorzar, no tiene mucha hambre. Eva trabaja en sus dibujos para pasar el rato libre.

1. **respuestas** answers 2. **nota** grade 3. **¡Estupendo!** Fantastic!

Mientras lees

A. Haz una lista
Identify four nouns on the first two art panels and list them below.

Sustantivos

1. _____

2. _____

3. _____

4. _____

Now list one adjective that describes Eva's test and one that describes Eva's teacher.

Adjetivos

1. _____

2. _____

B. Contesta
Choose the words that best complete each sentence about Eva's comic strip.

1. En sus tiras cómicas, el exámen de matemáticas es…
   a. difícil.   **b.** fácil.

2. El profesor de matemáticas es…
   a. simpático.   **b.** antipático.

3. A Eva… su clase de matemáticas.
   a. le gusta   **b.** no le gusta

C. Compara
Compare Eva's real life and the way she depicts it in her comic strips. Do you see a pattern? If so, what is it?

_____

_____

_____

A. Subraya

Underline two sentences on this page that show that Eva's classmates are not being nice to her. How does Eva feel about that? Give an example from the reading to support your opinion.

_____

_____

_____

_____

B. Contesta

Choose the words that best complete each sentence.

1. Eva es…

   a. extrovertida. **b.** tímida.

2. En las tiras cómicas, las chicas del equipo de volibol son…

   a. simpáticas.   **b.** antipáticas.

3. Eva va a poner sus dibujos en…

   a. su libro de arte.
   b. su página Web.

C. ¡Exprésate!

What is your favorite class like? And your favorite teacher? Write your answers in Spanish.

_____

_____

_____

_____

_____

Por la tarde, Eva tiene clase de educación física. Hoy van a jugar volibol en el gimnasio y Eva no tiene ganas de ir. A ella le gustan los deportes pero no juega al volibol muy bien. Además[1] es muy tímida y las chicas del equipo de volibol no son muy simpáticas.

Después del colegio Eva termina[2] sus dibujos. Por la noche va a poner sus tiras cómicas en su página Web.

1. Además Besides   **2. termina** finishes   **3. estrella** star   **4. jugadora** player

Después de leer

A En contexto

Choose the phrase that best follows each statement.

1. Eva is late to school.

   a. Tiene hambre.
   b. Tiene sed.
   c. Tiene prisa.

2. Eva didn't have any lunch today.

   a. Tiene que llegar a tiempo.
   b. Tiene que comer algo.
   c. Tiene una página Web

3. In her real life, Eva doesn't like sports.

   a. Es muy puntual.
   b. Es muy inteligente.
   c. No es muy atlética.

4. In her make-believe life, Eva is very popular at school.

   a. Siempre llega tarde.
   b. Tiene que estudiar más.
   c. Es la mejor jugadora del equipo.

5. Eva has an idea for a new comic strip.

   a. Tiene ganas de dibujar.
   b. Necesita su calculadora.
   c. Tiene que salir temprano.

6. Eva has finished her comic strip.

   a. ¡Qué bien!
   b. ¡Qué horror!
   c. ¡Qué torpe!

B ¿Realidad o fantasía?

Read each of the following statements. Put an **R** next to the statement that reflects the Reality of Eva's life, and put a **CS** by the statement that reflects her Comic Strip version.

1. _____ Eva siempre llega a tiempo al colegio.

2. _____ A Eva le gusta mucho su clase de arte.

3. _____ Eva sabe mucho de computación.

4. _____ El examen de matemáticas de Eva es muy fácil.

5. _____ Eva necesita su calculadora para el examen.

6. _____ Eva es la mejor jugadora del equipo de volibol.

7. _____ Las compañeras de Eva son muy simpáticas.

8. _____ Eva pone sus tiras cómicas en su página Web.

C **¡Piénsalo bien!**

Answer the following questions.

1. Who do you think is Eva's audience for her cartoons?

_____

_____

2. Do you think Eva is trying to influence the reader with her cartoons? What is she trying to influence the reader to think?

_____

_____

3. What would you think if you only saw the way Eva's life is depicted in her cartoons?

_____

_____

D **¡Exprésate!**

Write one sentence in Spanish for each of the following images. You will use them as the basis for a comic strip in **Un poco más**.

1. _____

2. _____

3. _____

E **Un poco más**

Draw a comic strip using the ideas you came up with in **¡Exprésate!** Before you start, answer the questions **who, what, why, when,** and **where** so that you know who the main character of the comic strip is, what is happening in the comic strip, why it's happening, and when and where it's happening. Have fun!

Artesanía: Art from the Heart

What is **artesanía**? **Artesanía** is usually described as traditional craftwork, but if you study its history throughout the Spanish-speaking world, you can only conclude that it is really Art from the Heart.

Artesanía is a deep, authentic expression of a people responding to its environment. A cultural clan takes natural products from its surroundings to create beautiful objects that have a practical use. Over the generations, the clan refines the artmaking techniques and passes its knowledge down through the family lineage.

How does **artesanía** differ from **arte**? **Arte** is usually created for the sake of beauty alone. It has no practical use in the world: it cannot keep you warm, or hold your food, or serve as a recipient for flowers. **Artesanía** can be beautiful, but in the eyes of some, it loses its status as art, and becomes folk art, because it serves a physical purpose.

The forms that **artesanía** can take are endless—ceramics, embroidery, basketry, woodworking, jewelry, and textiles, to name only a few. Master weavers from Peru create detailed tapestries portraying hillside landscapes. In Sarchí, Costa Rica, artists paint oxcarts with bright, vivid colors and patterns, freehand, with no stencil to follow. The Mayas in Guatemala use red dye from insects and purple dye from sea snails in the yarn that they hand spin for their colorful clothing. The jewelry made of silver from the mines of Taxco, Mexico, is considered world class. The **vejigante** masks of Loíza, Puerto Rico, made from coconut shells or gourdplants, are a blend of Puerto Rico's African, Spanish and Caribbean pasts.

Since preserving ancestral traditions is extremely important in Hispanic cultures, you will find traditional **artesanía** in any Spanish-speaking country you travel to. In markets all over the Hispanic world, you can see artists working clay, weaving, embroidering, carving, sculpting, and painting. As they do so, they are mirroring their ancestors and the love of the craft that has been handed down from generation to generation.

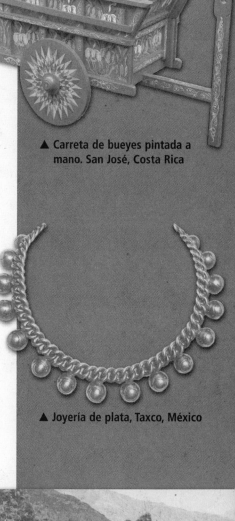

▲ Carreta de bueyes pintada a mano. San José, Costa Rica

▲ Joyería de plata, Taxco, México

¡Exprésate!

1. What distinguishes **artesanía** from **arte**?

   _____

   _____

2. How are **artesanía** techniques taught?

   _____

   _____

3. Where are the things needed to make **artesanía** generally found?

   _____

▲ Tejidos a mano, Pisac, Perú

La artesanía chorotega
Prepárate: vocabulario

Before you read **La artesanía chorotega,** study the words in **Mi pequeño diccionario** and do the activities that follow. Knowing these words will help you understand the reading.

Mi pequeño diccionario

ahora *now*	**desde** *since*	**modelar** *to shape*
antes *before*	**decorar** *to decorate*	**pequeño** *small, young*
artesanía *crafts*	**diseños** *designs*	**pintar** *to paint*
ayudar *to help*	**enseñar** *to teach*	**sacar (ideas)** *to get (ideas)*
a veces *sometimes*	**inventar** *to invent*	**vasijas** *pots*

Actividades

A Clasifica

Write down six words from **Mi pequeño diccionario** that are related to ceramic arts and crafts.

1. _____   4. _____

2. _____   5. _____

3. _____   6. _____

B Gustavo

Complete the sentences with the correct form of the verbs in the box.

enseñar	inventar	ayudar	sacar	modelar

1. Gustavo _____ a sus padres con su trabajo.

2. Él _____ las vasijas de cerámica.

3. Gustavo no _____ todas sus ideas de los libros.

4. Él _____ muchos de sus diseños.

5. En la escuela de artesanía _____ el arte de los chorotegas.

Estrategia para leer

Mientras

lees

Words in context Many words can be understood based on how they are used in the sentence or paragraph. When you come to an unknown word, try to guess its meaning based on context (the other words around it).

Practica la estrategia

A **El contexto**

Read the questions and answers of the interview with Gustavo on page 60. Locate the words listed below and write three more words that you don't know. Then, complete the chart with the phrase where each word appears, your guess at the word in English, and the meaning of the word.

Spanish Word	Phrase	English Word	Meaning
taller	taller de cerámica	workshop	A place where ceramics are made.
era			
figuritas			
antiguos			
mente			
tinaja			

Para empezar...
Do you have any pottery or ceramics from other countries in your home? Do you know where it's from or anything about its history?

_____

_____

A. Subraya

Find and underline five words on this page, that have to do with time. Then, use three of them to write three sentences in Spanish.

1. _____

2. _____

3. _____

B. Contesta

Choose the word or words that best complete each statement.

1. Gustavo trabaja en... de cerámica.

    a. el colegio   **b.** el taller

2. Él ayuda a... en el taller.

    a. sus padres
    b. sus compañeros

3. Gustavo pinta sus diseños en...

    a. un papel.   **b.** la tinaja.

C. Analiza

Find two examples in the text that show that Gustavo likes to do what he does. Why do you think he enjoys this type of work?

_____

_____

_____

_____

La artesanía chorotega

The small village of Guaitil is one of the centers of Costa Rican folk art. Nearly the entire town is dedicated to making pottery using the methods, tools, and designs that their ancestors, the Chorotegas, used hundreds of years ago. The craftsmen of Guaitil use natural paints and basic colors like red, black, white, and brown to decorate their pottery with traditional symbols of nature and daily life. Learn more about chorotega artistry in the following interview with Gustavo, who is one of the youngest and most famous potters in the village.

Gustavo

¿Desde cuándo ayudas a tus padres en el taller de cerámica?
Siempre me ha gustado[1] ayudar a mi madre, Luz Marina; pero cuando era pequeño lo que más me gustaba[2] era modelar, hacer figuritas.

¿Y ahora?
Ahora pintar y decorar las piezas[3].

¿De dónde sacas estas ideas?
Bueno, los dibujos que yo hago son aquellos[4] que están en los libros antiguos pero hay veces que invento otros dibujos para cambiar[5] y esos los saco de la mente, sólo de la mente.

¿Se te ocurren[6] cuando estás pintándolas, o las pintas antes en un papel?
No, las pinto directamente sobre la tinaja.

---

1. me ha gustado I have enjoyed **2. me gustaba** I liked **3. piezas** pieces
4. aquellos those **5. cambiar** to change **6. Se te ocurren...?** Do they come to mind?

 *Costa Rica*

¿Hay algún sitio[1] donde enseñan esta artesanía?
Sí, la cooperativa de artesanos[2] del pueblo tiene una escuela y ahí se enseñan los diseños que hacían nuestros antepasados[3] chorotegas.

¿Tienes en casa libros de dibujos precolombinos?
No, yo los diseños los tengo grabados[4] en la mente.

¿Cuánto tardas[5] en pintar una tinaja grande?
Normalmente media hora, o tal vez un poco más.

¿Cuántas horas dedicas a esto?
Bueno, a veces mis padres tienen mucho trabajo y todos tenemos que colaborar. Entonces puedo hacer hasta 20 vasijas medianas en un día. Pero cuando hay menos trabajo, pinto en mis ratos libres.

¿Te quieres dedicar exclusivamente a esto?
Ahora estoy empezando[6] y me gusta mucho. Es posible que siga[7] con el taller de mis padres.

1. **sitio** place   2. **cooperativa de artesanos** craftmen's cooperative   3. **hacían nuestros antepasados** our ancestors used to make   4. **grabados** etched   5. **¿Cuánto tardas…?** How long does it take you…?   6. **estoy empezando** I am beginning   7. **que siga** that I may continue

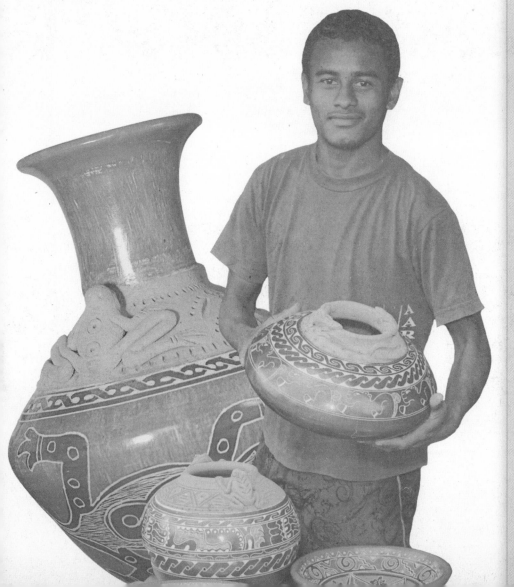

Mientras lees

Acuérdate

You have learned to use **querer** and **tener que** + infinitives to say what you want or have to do.

A. Ponle color
Highlight two sentences where **tener que** and **querer** are used with infinitives. Then, write a sentence saying what you have to do to help at your house.

_____

B. Contesta
Write **c)** for **cierto** or **f)** for **falso**, based on the interview with Gustavo. Correct the statements that are false.

_____ 1. En la cooperativa de artesanos enseñan artesanía chorotega.

_____

_____ 2. Gustavo sabe de memoria *(by memory)* los diseños que usa.

_____

_____ 3. Gustavo pinta una vasija grande en dos horas.

_____

C. ¡Exprésate!
What skills or traits do you think a person would need to be good at painting ceramics?

_____

_____

_____

Después de leer

A En contexto

Choose the words that best complete each sentence.

1. Gustavo trabaja en el taller con…
   a. sus amigos.
   b. sus antepasados.
   c. sus padres.

2. Lo que más le gusta ahora es…
   a. hacer figuritas.
   b. pintar las vasijas.
   c. tomar clases de diseño.

3. A veces Gustavo saca los diseños de…
   a. su mente.
   b. los libros antiguos.
   c. los dibujos precolombinos

4. Gustavo hace sus dibujos…
   a. en un papel.
   b. en la tinaja.
   c. en las figuritas.

5. En la escuela enseñan los diseños de…
   a. los antepasados chorotegas.
   b. los artesanos modernos.
   c. los padres de Gustavo.

6. Gustavo trabaja mucho tiempo porque…
   a. tarda muchas horas en hacer vasijas.
   b. piensa dedicar su vida a la cerámica.
   c. todos tienen que colaborar en el taller.

B En resumen

Complete the paragraph with the most appropriate word based on the context of the reading.

saca	ayuda	pintar	diseños
taller	decoran	inventa	vasijas

Gustavo es de Guaitil, Costa Rica. Sus padres tienen un **1.** _____ de artesanía. Ellos hacen **2.** _____ de cerámica. Ellos **3.** _____ las vasijas con los **4.** _____ de sus antepasados, los chorotegas. Gustavo **5.** _____ a sus padres en el taller. A él le gusta **6.** _____ las vasijas. Él **7.** _____ sus ideas de los libros antiguos y a veces él **8.** _____ sus propios (own) diseños. Gustavo es un muchacho de mucho talento.

C **¡Piénsalo bien!**
Answer the following questions.

1. Do you think it's important to continue folk art from one's ancestors, as Gustavo does? Why or why not?

_____

_____

2. Do you think it is Gustavo's choice to work in his parents' workshop? Why or why not?

_____

_____

3. Folk art is common in Latin American countries. Do you know of any folk art made in the Uniteds States? Describe it.

_____

_____

D **¡Exprésate!**
Draw a design that you would like to put on a ceramic plate. Use the designs from the chorotegas as a guideline. Be creative!

E **Un poco más**
Do some research on the Internet about traditional folk-art from Spain or other Latin American countries. Find out how this art has been passed from one generation to the next. Describe one piece of art and how it is made. Include some illustrations if possible, and present your findings to the class.

Capítulo 5

Cuentos y cultura

In **Cuéntame un cuento** you will meet Daniel Salazar, a sixteen-year-old boy who writes a *blog* on the Internet to describe his days. In **Cultura hispana**, you will learn about great women writers of Spanish literature and you will read about Isabel Allende, a well-known Chilean writer who lives in the United States.

Cuéntame un cuento

Un día en la vida de Daniel

Daniel wants to write something interesting about his life in his *blog*, but to his dismay, he thinks he has the most boring family in the world! But does he really? 68

Cultura hispana

Escritoras hispanas: *Breaking barriers*
Do women have something different to say than men? Who are the great women of Spanish literature? 73

Las novelas de Isabel Allende

Isabel Allende tackles the issues of family ties in all her work. An excerpt from her book, *Mi país inventado*, illustrates just how tightly-knit family relations are in Chile. 76

 Chile

Un día en la vida de Daniel
Prepárate: Vocabulario

Before you read **Un día en la vida de Daniel,** review some words you already know in **Ya sé** and study the new words in **Mi pequeño diccionario.** Then do the activities that follow. Knowing these words will help you understand the reading.

¡Ya sé...!

abuelos *grandparents*	**empezar(ie)** *to start*
afueras *outskirts*	**escribir** *to write*
callado(a) *quiet*	**hermanos** *siblings*
canoso(a) *gray-haired*	**jardín** *garden*
ciudad *city*	**le toca** *it's his (her) turn*
comedor *dining room*	**nunca** *never*
cuarto *bedroom*	**perro** *dog*
descansar *to rest*	**vivir** *to live*
dormir(ue) *to sleep*	**volver(ue)** *to return*

Mi pequeño diccionario

almorzar(ue) *to eat lunch*
aquí *here*
cena *dinner*
cenar *to eat dinner*
enfrente de *in front of*
hacer *to do*
hora de levantarse *time to get up*
oficina *office*
pez *fish*

Actividades

A La palabra intrusa
Choose the word that doesn't belong in each list.

1. abuelo, canoso, hijo

2. comedor, afueras, ciudad

3. descansar, trabajar, dormir

4. perro, pez, hermano

5. levantarse, dormir, escribir

6. hacer, almorzar, cenar

B ¿En dónde...?
Where would the following things happen?

la ciudad	el comedor	la oficina	las afueras	el cuarto	el jardín

1. Vamos a cenar.

_____

2. Papá va a trabajar.

_____

3. Tengo que sacar al perro.

_____

4. ¡Es hora de levantarte!

_____

5. Aquí hay mucha gente y mucho tráfico.

_____

6. Vamos a vivir allí. Es más tranquilo.

_____

C Elige

Choose the word that best completes each sentence.

1. Tengo un _____ en mi cuarto, en un pequeño acuario.

2. A mi hermano nunca _____ limpiar el cuarto.

3. No nos gusta vivir en la ciudad. Vivimos en las _____.

4. Papá trabaja _____ de la computadora.

5. Mamá prepara la _____ en la cocina.

afueras
enfrente
pez
cena
le toca

💡 Acuérdate de la gramática

Daniel duerme hasta las once los sábados.

You have learned to conjugate stem-changing verbs like **dormir** and **entender.** Remember that the vowel in the stem of these verbs changes in all but the **nosotros** and **vosotros** forms.

	dormir (ue) to sleep	entender (ie) to understand
yo	d**ue**rmo	ent**ie**ndo
tú	d**ue**rmes	ent**ie**ndes
Ud., él, ella	d**ue**rme	ent**ie**nde
nosotros	dormimos	entendemos
vosotros	dormís	entendéis
Uds., ellos, ellas	d**ue**rmen	ent**ie**nden

D ¿Entiendes?

Complete each sentence with the correct form of one of these stem-changing verbs.

tener(ie)
volver(ue)
almorzar(ue)
empezar(ie)
entender(ie)

1. Mis padres _____ de la oficina a las seis de la tarde.

2. Yo _____ español un poco.

3. Nosotros siempre _____ en la cafetería.

4. Las clases en mi colegio _____ a las 8:00 de la mañana.

5. Mi hermano _____ clases hasta las cuatro y media de la tarde.

Estrategia para leer

Determining the writer's purpose Readers may recognize the way a writer can influence their thinking by determining the writer's purpose. The writer's purpose may be to explain, to stir an emotion, to narrate a series of events, or to persuade the reader to believe something. Determining the purpose of a text before you read allows you to read more critically.

Practica la estrategia

A El propósito del escritor

Select a purpose from the second column for each piece of writing in the first column. In some cases, the writer may have more than one purpose.

_____ 1. a greeting card

_____ 2. an ad to sell a car

_____ 3. a Dear Abby column

_____ 4. an on-line article

_____ 5. a cartoon

_____ 6. a letter to a friend

_____ 7. a graphic novel

_____ 8. a Web page

_____ 9. a proverb

_____ 10. a rhyme or a poem

a. to explain or to inform

b. to create a mood or stir an emotion

c. to tell a story or narrate a series of events

d. to persuade the reader to believe something or do something

e. to ask for and give advice

f. to teach a moral

CALVIN AND HOBBES @ Watterson. Dist. by Universal Press Syndicate. Reprinted with Permission. All rights reserved.

B ¿Un *blog* en Internet?

Daniel writes a *blog* on the Internet to describe his days. What do you think is his purpose as a writer?

_____

_____

_____

_____

Un día en la vida de Daniel

Para empezar…
How many family members live in your house? Would you like to live with your grandparents? Why or why not?

_____

_____

_____

A. Identifica
Circle all of the members in Daniel's family. How many are there?

_____

_____

B. Contesta
Write **cierto** or **falso** based on Daniel's description of his family. Correct the statements that are false.

_____ **1.** Daniel y su familia viven en el centro de la ciudad.

_____

_____ **2.** Los abuelos de Daniel viven en su casa con él.

_____

_____ **3.** El papá de Daniel habla mucho por teléfono.

_____

C. Analiza
Based on the number of people who live with Daniel, how many bedrooms do you think the house has?

_____

_____

Daniel Salazar es un muchacho de dieciséis años. Es alto y delgado. Tiene el pelo castaño y los ojos verdes. A él le gusta escribir en su *blog* en Internet y para ilustrar sus historias, a veces incluye fotos de su familia. Daniel tiene mucha imaginación.

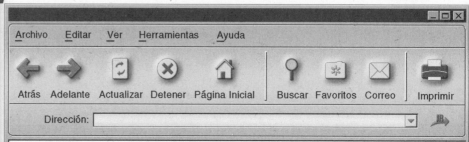

1 ¡Hola! Soy Daniel. Tengo dieciséis años. Aquí estoy enfrente de mi casa. Mi familia y yo vivimos en las afueras de la ciudad.

2 Mis abuelos viven con nosotros. Mi abuelo es un poco canoso y muy simpático. Mi abuela es muy inteligente. A ella le encanta jugar al ajedrez.

3 Éstos son mis padres. Mamá habla por teléfono… ¡Todo el tiempo! Papá es un poco callado. Le gusta leer el periódico (¿o dormir?) mientras almuerza.

4 Aquí están mi hermano, mi hermana y mi perro Campeche. Mis hermanos siempre corren en el comedor. ¡Qué horror! Como ves, a mi perro también le gusta correr.

Daniel cree que algún día, la chica de sus sueños[1], va a leer sus aventuras y va a querer conocerlo. Él quiere escribir algo gracioso, pero en su opinión, su familia nunca hace nada interesante. Él describe un sábado típico en casa con su familia.

A. Ponle color
Highlight three stem-changing verbs on this page and write their infinitives here.

1. _____

2. _____

3. _____

Archivo   Editar   Ver   Herramientas   Ayuda

Hijo… ¡Es hora de levantarte! ¿Estás sordo?

5 Éste es mi cuarto. Lo comparto[2] con mi hermano, mi perro y dos peces. A mi hermano le toca limpiar el cuarto pero nunca lo hace[3].

6 A mí me gusta levantarme tarde los sábados. Duermo hasta las once.

7 Primero, almuerzo con mi familia. ¡Qué familia más aburrida! Hablan de las mismas[4] cosas todos los días.

8 Luego, juego al fútbol en el parque con mis amigos. ¡Me encanta jugar en el parque! ¡Nunca quiero regresar a casa!

Cuando vuelvo del parque voy a ver que están haciendo todos[5]. Ojalá[6] algo interesante.

B. Contesta
Choose the words that best complete each statement.

1. Daniel y su hermano comparten (share) una…
   a. habitación.
   b. computadora.

2. Daniel… hasta las once los sábados.
   a. almuerza   b. duerme

3. Daniel almuerza con…
   a. su familia.   b. sus amigos.

4. Daniel juega al fútbol en…
   a. el gimnasio.   b. el parque.

C. Compara
Compare your room at home with Daniel's. Do you share it with a brother or sister? Do you keep it organized?

_____

_____

_____

_____

....
1. sueños dreams   **2. Lo comparto** I share it   **3. lo hace** does it   **4. las mismas** the same
5. están haciendo todos what everyone is doing   **6. Ojalá** Hopefully

A. Subraya

Underline the places where Daniel's mom, dad, and grandparents are. Who is outside the house? Who is inside?

1. _____

2. _____

B. Contesta

Choose the word or words that best complete each sentence.

1. La mamá de Daniel habla por teléfono en…

   a. la cocina.   **b.** el comedor.

2. El papá de Daniel… en su oficina.

   a. trabaja   **b.** duerme

3. Los hermanos de Daniel están enfrente…

   a. del televisor.

   b. de la computadora.

4. Los abuelos de Daniel… en el jardín.

   a. comen   **b.** descansan

C. ¡Exprésate!

Write a short description in Spanish of what your family does on a typical Saturday.

_____

_____

_____

_____

9 Mamá empieza a preparar la cena.

10 Papá trabaja (¿o duerme?) en su oficina.

11 Mis hermanos están enfrente del televisor, como siempre.

12 Mis abuelos descansan en el jardín.

¡Éstas no son aventuras! Queridos lectores[1], mañana escribo algo más interesante. ¡Palabra![2]

¿De qué voy a escribir? NO PASA NADA INTERESANTE EN MI CASA ¡NUNCA!

---

1. Queridos lectores Dear readers   **2. ¡Palabra!** I promise

Después de leer

Actividades

A En contexto

Choose the words that best answer the questions or complete the statements.

1. ¿Dónde vive la familia de Daniel?

   a. En un apartamento pequeño.
   b. En las afueras de la ciudad.
   c. En un edificio de diez pisos.

2. ¿Cómo es el abuelo de Daniel?

   a. Es un poco callado.
   b. Es un poco canoso.
   c. Es un poco travieso.

3. ¿Quién tiene que limpiar el cuarto?

   a. A Daniel le toca limpiarlo.
   b. la hermana de Daniel lo limpia.
   c. A su hermano le toca limpiarlo.

4. Por la tarde, Daniel no quiere volver a casa…

   a. porque prefiere jugar en el parque.
   b. porque no tiene hambre.
   c. porque no le gusta su familia.

5. Daniel escribe en su *blog* todos los días…

   a. porque le gusta escribir.
   b. porque quiere conocer a una chica.
   c. porque está aburrido.

6. Al final del cuento sabemos que…

   a. Daniel se queda dormido.
   b. nada pasa en su casa.
   c. Daniel no sabe qué pasa en su casa.

B En resumen

Choose the words that best complete the paragraph about **Un día en la vida de Daniel**. Conjugate the verbs as needed to make the sentences grammatically correct.

dormir	jardín
perro	cuarto
afueras	almorzar
hablar	jugar

Daniel vive con sus padres, hermanos y abuelos en las **1.** _____ de la

ciudad. A sus abuelos les gusta pasar tiempo en el **2.** _____ y a su mamá

le encanta **3.** _____ por teléfono. En cambio su papá es más bien

callado. Daniel comparte su **4.** _____ con su hermano, su

5. _____ y dos peces. Daniel **6.** _____ hasta

tarde los sábados y luego **7.** _____ con su familia. Después

8. _____ en el parque con sus amigos. ¿Su familia es muy aburrida?

¡Claro que no! Muchas cosas pasan en su casa pero… ¡él no se da cuenta!

C **¡Piénsalo bien!**

Answer the following questions.

1. What is Daniel's family like? How does it compare to your family?

_____

_____

2. When talking about his family, Daniel says that his adventures **"no son aventuras"**. Why do you think he feels that way?

_____

_____

3. What is Daniel's purpose in writing his blog? Were you right on your predictions about the writer's purpose in **Estrategia para leer**? Explain.

_____

_____

D **¡Exprésate!**

Write a short description of what your family members do in each of the parts of the house shown below.

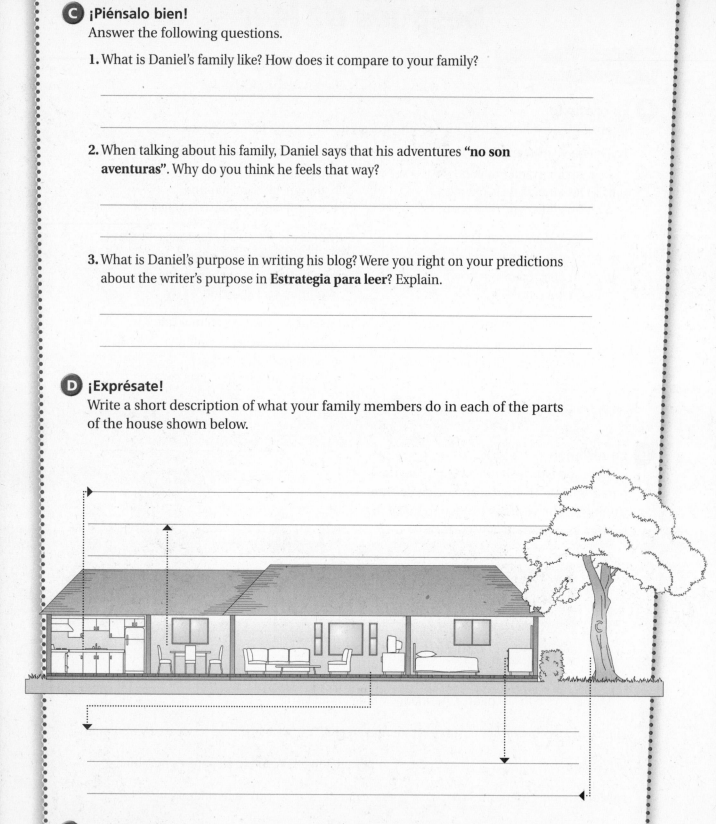

E **Un poco más**

Write a diary entry for your _blog_ describing a typical weekend with your family. Include as many activities from around the house as possible. Add photos or drawings if you want to. Make it interesting!

Escritoras hispanas: Breaking Barriers

The literary world, both historical and contemporary, is filled with talented women from Latin America and Spain who write in many different genres.

Great female writers who broke ground were Emilia Pardo Bazán from Spain, considered one of the most important novelists of the 19th Century and Gabriela Mistral from Chile, the first Latin American female writer to win the Nobel Prize in Literature in 1945. Three 20th Century writers from Spain are: Carmen Laforet, best known for her novel **Nada**; Ana María Matute, who has won many Spanish literary awards for her novels and short stories and Carmen Martín Gaite who wrote about women's identity in a world of oppression.

Experimenting with different genres seems to come naturally to Hispanic female writers. Julia de Burgos from Puerto Rico, and Alfonsina Storni from Argentina, write poetry. Cristina Peri Rossi from Uruguay writes short stories, novels and poetry. Silvina Bullrich from Argentina began her literary career with a book of poems, but went on to write novels and short stories. Rosa Montero from Spain is a journalist who conducts interviews and also writes film scripts and novels.

In more recent years, we have seen the success of works like ***Como agua para chocolate***, by Laura Esquivel from México, which became a huge hit as a film in the United States in the 1990s. Her most recent work, ***Tan veloz como el deseo*** brings indigenous and Spanish-speaking cultures together. We have also seen the success of Isabel Allende from Chile. ***Retrato en Sepia,*** a portrait of Chilean history during the 2nd half of the 19th Century, ***La hija de la fortuna, Paula,*** and ***Mi país inventado,*** make her one of the most important Spanish writers of the 20th Century. And if those are not enough, who can forget Allende's ***La casa de los espíritus?***

▲ Gabriela Mistral

▲ Isabel Allende

▲ Tan veloz como el deseo, de Laura Esquivel

▲ La casa de los espíritus, de Isabel Allende

¡Exprésate!

1. Who are some great female writers from Spain?

_____

_____

_____

2. Name two famous novels by Latin American female writers.

_____

_____

Las novelas de Isabel Allende
Prepárate: vocabulario

Before you read **Las novelas de Isabel Allende,** study the words in **Mi pequeño diccionario** and do the activities that follow. Knowing these words will help you understand the reading.

Mi pequeño diccionario

(tío) en tercer grado *distant (uncle)*

cercanos *closest*

deberes *obligations*

edad *age*

...de más edad *the oldest*

enfermera *nurse*

generaciones *generations*

más tarde *later*

medios *means*

murió *(he/she)died*

nadie *no one*

negarse *to say no*

parientes *relatives*

ponerse en contacto *to get in touch with*

remotos *distant*

vida *life*

Actividades

A **Empareja**

Choose the word or words from Column B that are closer in meaning to each word from Column A.

Columna A	Columna B
1. _____ más tarde	a. decir que no
2. _____ de más edad	b. comunicarse
3. _____ ponerse en contacto	c. ninguna persona
4. _____ deberes	d. mayor
5. _____ negarse	e. después
6. _____ nadie	f. obligaciones

B **Clasifica**

Write down six words from **Mi pequeño diccionario** that are related to family.

1. _____   4. _____

2. _____   5. _____

3. _____   6. _____

Estrategia para leer

Antes de leer

Skimming Look at the title, the photos, and the important words in the text. Then read the first sentence of each paragraph. Skimming helps you understand the main ideas and predict what the rest of the text is about.

Practica la estrategia

A Palabras clave

Read the first sentence from each paragraph of the reading, written in the boxes below. Write down the words from each sentence that you think are the most important. Then write a sentence in English that sums up what you think each paragraph is about.

"En 1981, Isabel Allende empezó a escribir una carta a su abuelo en Chile."

Important words from that sentence:

What I think this paragraph is about:

"Su novela _Paula_ (1994) es la historia de su vida."

Important words from that sentence:

What I think this paragraph is about:

"Vas a leer un fragmento de su libro _Mi país inventado_."

Important words from that sentence:

What I think this paragraph is about:

Para empezar...
Can you name a few Latin American authors? Are you familiar with any of their stories?

_____

_____

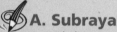

Acuérdate

Remember that possessive adjectives show ownership or relationships between people.

A. Subraya

1. Underline six possessive adjectives on this page and circle the nouns after them. How many of these nouns are about Isabel's family?

_____

B. Contesta

1. Isabel Allende escribe una carta de 500 páginas a...

   a. su hija.   **b.** su abuelo.

2. *Paula* es la historia de la vida de...

   a. Isabel.   **b.** Paula.

3. Isabel Allende escribe sobre su país y sus...

   a. medios.   **b.** parientes.

4. La primera novela de Isabel Allende es...

   a. *La casa de los espíritus.*
   b. *Paula.*

C. Analiza

What things in Isabel Allende's life inspire her to write novels?

_____

_____

Las novelas de Isabel Allende

Isabel Allende is from Peru, but she was raised in Chile. She is one of the most famous modern Latin American writers. Her novels and stories are read throughout the world. Her family is the theme of many of her stories and often her relatives are the inspiration for the characters in her novels. Today, Isabel Allende lives with her husband and family in California. Read the following commentary and the excerpt from one of her novels to learn more about her work and life in Chile.

En 1981, Isabel Allende empezó[1] a escribir una carta a su abuelo en Chile. Un año más tarde esta carta de 500 páginas se convirtió[2] en su primera novela, *La casa de los espíritus* (*The House of the Spirits*, 1982).

Su novela *Paula* (1994) es la historia de su vida. Es dedicada a su hija, Paula, quien murió a la edad de 24 años, después de estar en el hospital por un año.

Vas a leer un fragmento de su libro *Mi país inventado*, en el que escribe sobre su familia y la historia de Chile. A través de[3] sus propios parientes ilustra el carácter de los chilenos.

....

1. empezó began   **2. se convirtió** became   **3. A través de** By means of

Chile

De Mi país inventado

▲ Isabel Allende

Por encima de[1] los clanes está la familia, inviolable y sagrada, nadie escapa a sus deberes con ella. Por ejemplo, el tío Ramón suele[2] llamarme por teléfono a California, donde vivo, para comunicarme que murió un tío en tercer grado, a quien no conocí,[3] y dejó[4] una hija en mala situación. La joven quiere estudiar enfermería,[5] pero no tiene medios para hacerlo. Al tío Ramón, como el miembro de más edad del clan, le corresponde ponerse en contacto con cualquiera que tenga lazos de sangre con el difunto,[6] desde los parientes cercanos hasta los más remotos, para financiar los estudios de la futura enfermera. Negarse sería un acto vil,[7] que sería recordado[8] por varias generaciones.

1. **Por encima de** above   2. **suele** tends to   3. **no conocí** I never met   4. **dejó** left
5. **enfermería** nursing   6. **cualquiera que tenga lazos de sangre con el difunto** whomever is related to the deceased   7. **sería un acto vil** would be a despicable act
8. **sería recordado** would be remembered

A. Ponle Color
Find and highlight two phrases that have to do with obligations in Isabel's family. Then list two adjectives used to describe her family.

1. _____

2. _____

B. Contesta
Write **c)** for **cierto** or **f)** for **falso,** based on the excerpt. Correct the statements that are false.

_____ 1. Isabel es de Chile y vive en Chile.

_____

_____ 2. El tío Ramón es un pariente lejano de Isabel.

_____

_____ 3. Una prima de Isabel necesita dinero para estudiar.

_____

_____ 4. Isabel tiene el deber de ayudar a su prima.

_____

C. ¡Exprésate!
Do you think the family is a good source for fictional stories? Why or why not?

_____

_____

_____

Después de leer

A En contexto

Choose the words that best complete each sentence.

1. El tema principal de las novelas de Isabel Allende es...
   a. su vida.
   b. su familia.
   c. sus deberes.

2. *La casa de los espíritus* empieza como...
   a. un cuento de 500 páginas.
   b. una conversación con su tío.
   c. una carta a su abuelo.

3. Paula, la hija de Isabel Allende, murió...
   a. a la edad de 24 años.
   b. a la edad de un año.
   c. en 1981.

4. El tío Ramón es un... de Isabel Allende.
   a. pariente lejano
   b. pariente cercano
   c. tío en tercer grado

5. La... del difunto está en mala situación.
   a. hermana
   b. esposa
   c. hija

6. Isabel no... ayudar a su prima lejana.
   a. puede negarse a
   b. quiere ponerse en contacto para
   c. tiene los medios para

el abuelo

el tío Ramón

Isabel Allende

Paula, la hija

B En resumen

Choose the words that best complete the paragraph about *Mi país inventado*.

deber	parientes	ponerse en contacto
de más edad	en tercer grado	enfermera
medios	generaciones	

En *Mi país inventado*, Isabel Allende escribe sobre sus **1.** _____ y el carácter de los chilenos. El tío Ramón, habla por teléfono para contarle a Isabel que un tío **2.** _____ murió y su hija necesita ayuda. Ella quiere ser **3.** _____ pero no tiene **4.** _____ para estudiar. El tío Ramón es el miembro **5.** _____ de la familia y debe **6.** _____ con todos los parientes. Todos tienen el **7.** _____ de ayudar. No hacerlo sería recordado *(would be remembered)* por muchas **8.** _____.

C **¡Piénsalo bien!**

Answer the following questions.

1. Do you think Isabel Allende's family members like to be written about in her novels? Why or why not?

_____

_____

2. Is American culture different from Spanish culture in regards to family obligations? Why or why not?

_____

_____

3. Do you know of any novels from the United States that use family as the main theme? Name at least one.

_____

_____

D **¡Exprésate!**

Draw a family tree of a fictional family that you might write a short story about. Include close and distant relatives and a brief description for each one of them.

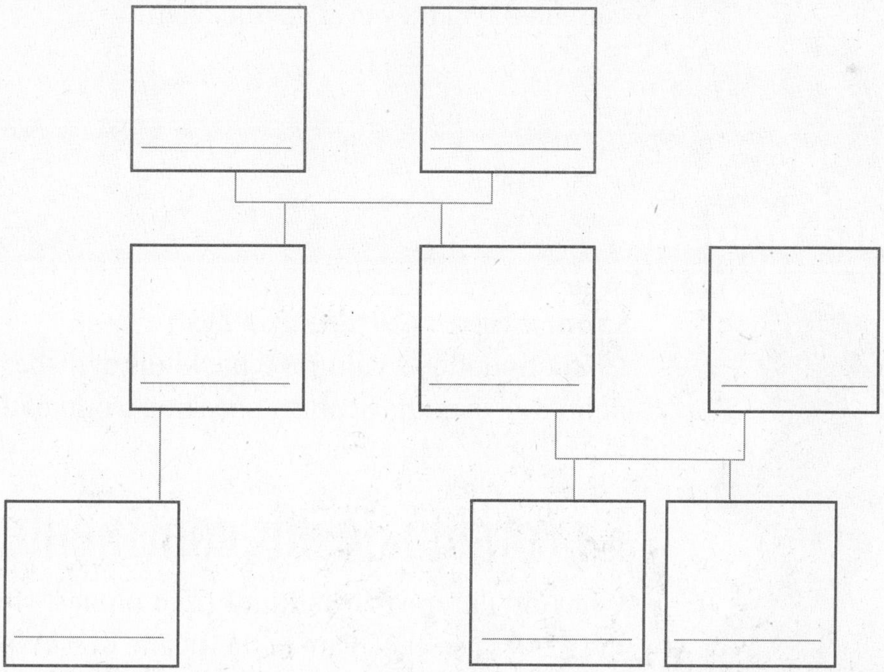

E **Un poco más**

Talk to one of your parents about distant relatives that you don't know about. Ask them to tell you about someone whose life story has some fun and interesting elements in it. Then write a fictional story of one page about that family member. Remember, in fiction, you can invent anything you want!

In **Cuéntame un cuento** you will read about Eva's eventful date with Bobby, one of her friends from **el club de español**. In **Cultura hispana,** you will learn about the cuisines of a variety of Spanish-speaking countries and you will read about four important food ingredients that originated in the Americas.

Cuéntame un cuento

Eva y la cita desastrosa

Cultura hispana

La comida de dos continentes

México

Eva y la cita desastrosa
Prepárate: vocabulario

Before you read **Eva y la cita desastrosa**, review some words you already know in **¡Ya sé…!** and study the new words in **Mi pequeño diccionario**. Then, do the activities that follow. Knowing these words will help you understand the reading.

¡Ya sé…!

cuenta *bill*

pedir(i) *to ask for, to order*

plato *dish, plate*

probar(ue) *to try, to taste*

refresco *soft drink*

restaurante *restaurant*

riquísimo(a) *delicious*

sopa de pescado *fish soup*

tacos de pollo *chicken tacos*

¿Qué tal está(n)…? *How is (are)…?*

Mi pequeño diccionario

camarero(a) *waiter, waitress*

cita *date*

estar contento(a) *to be happy, content*

jefe de cocina *chef*

hacer caer *to knock over*

¡Lo siento! *I'm sorry!*

ponerse nervioso(a) *to get nervous*

reírse a carcajadas *to laugh heartily, guffaw*

sonar(ue) *to ring*

torpe *clumsy*

Actividades

A En un restaurante
Find words from **Mi pequeño diccionario** and **¡Ya sé…!** that are related to restaurants. Write them in the chart below in the appropriate category.

Personas	Platos	Acciones
1.		Peder
2.		Probar

B Empareja
Choose the words or phrases that best match the following definitions.

e 1. Una cena romántica en un restaurante.   **a.** un refresco

d 2. Esto pasa cuando alguien te llama por el celular.   **b.** la cuenta

b 3. Pagas esto después de comer en el restaurante.   **c.** está riquísimo

a 4. Pides esto cuando tienes sed.   **d.** suena

c 5. Dices esto cuando algo tiene muy buen sabor.   **e.** una cita

C **¿Tiene sentido o no?**

For each statement, write **Sí** if the statement makes sense and **No**, if it doesn't.

NO 1. ~~Sí~~ En el restaurante, pides la cuenta al jefe de cocina.

2. *NO* Pruebas la comida antes de pedirla.

3. *Sí* Te ríes a carcajadas cuando estás muy contento.

4. *Sí* Dices "Lo siento" cuando haces caer algo.

5. *NO* Te pones nervioso cuando suena el teléfono.

Eva: Yo dibujo tiras cómicas.
Bobby: ¿Puedo **verlas**?
Eva: Sí. Están en mi página Web.

Acuérdate de la gramática

Direct object pronouns go before a conjugated verb. In sentences where there is a conjugated verb + an infinitive, the pronouns may be attached to the end of the infinitive. Remember that pronouns replace nouns and are used to avoid repetition.

	Masculine	Feminine
Singular	**lo** *him, it*	**la** *her, it*
Plural	**los** *them*	**las** *them*

D **¿Cuál pronombre?**

Complete each sentence with the correct direct object pronoun.

1. ¿Puede traernos el menú? Sí, claro. Ahora *lo* traigo.

2. La sopa de pescado está deliciosa. ¿Quiere probar *la* ?

3. Y las verduras están riquísimas. ¿Quiere pedir *la* ?

4. ¿Puede servirnos dos refrescos? Claro, en un momento *lo* sirvo.

5. ¿Nos trae la cuenta, por favor? Sí, ya *la* traigo.

Estrategia para leer

Mientras lees

Drawing conclusions Authors don't always reveal their message directly. For that reason, as you read a text, it is important to draw conclusions based on your own knowledge and experience, and on details provided by the author in the reading.

Practica la estrategia

A **Mis propias conclusiones**

Read the following passages, extracted from the reading. Based on your prior knowledge and the information given by the author, draw a logical conclusion from each dialogue. Based on your conclusions, what do you think will happen at the end of the story?

Citas del texto:

Bobby: ¿Dónde almuerzas?
Eva: En la cafetería.
Bobby: ¿Te gusta la comida de la cafetería?
Eva: Sí

Mis conclusiones:

Citas del texto:

Bobby: Eva, me dicen que dibujas muy bien.
Eva: (silencio)
Bobby: ¿Qué dibujas?
Eva: Tiras cómicas

Mis conclusiones:

Citas del texto:
Bobby trata de limpiar la mesa, y mientras la limpia, hace caer la sopa sobre los *jeans* de Eva.
Bobby: !Ay, no! !Qué torpe soy!
Eva: ???

Mis conclusiones:

Mis predicciones:

Eva y la cita desastrosa

Para empezar…

Were you ever on a date that didn't seem to be going well? What did you do?

_____

_____

_____

A. Ponle color

Highlight the sentences on this page where Bobby and Eva are described. What sets them apart?

_____

_____

B. Contesta

Choose the word or words that best complete each sentence.

1. Bobby y Eva van a…

   a. un restaurante.

   b. un teatro.

2. Allí comen comida…

   a. francesa.   b. mexicana.

3. Eva almuerza en… del colegio.

   a. el jardín   b. la cafetería

4. Bobby está…

   a. muy nervioso.

   b. muy contento.

C. Analiza

Do you think that Eva is having a good time or not? Give examples from the reading to support your opinion.

_____

_____

_____

Bobby, un muchacho muy simpático del club de español, invita a Eva a cenar. Quiere llevarla al restaurante Don José porque allí preparan la mejor comida mexicana. A él le encanta la comida mexicana.

Eva: Hola, Bobby.

Bobby: Hola, Eva. Vamos al restaurante Don José, ¿qué te parece?

Eva: Sí, muy bien.

Bobby: La comida allí es riquísima. Dicen que Don José es el mejor jefe de cocina de toda la ciudad.

Bobby y Eva caminan al restaurante. Bobby es muy extrovertido y sociable. A él le encanta hablar, pero Eva es un poco tímida. No habla mucho y empezar la conversación se hace[1] difícil.

Bobby: Eva, ¿te gusta la comida mexicana?

Eva: Sí… (silencio)

Bobby: ¿Cuál es tu plato favorito?

Eva: No sé. (silencio)

1. **se hace** it becomes

Bobby empieza a ponerse nervioso porque cree que Eva no está contenta. Piensa y piensa. ¿De qué le puede hablar? A Bobby no se le ocurre[2] nada interesante.

Bobby: ¿Dónde almuerzas en el colegio?

Eva: En la cafetería. (silencio)

Bobby: ¿Te gusta la comida de la cafetería?

Eva: Sí. (silencio)

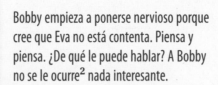

2. **se le ocurre** occurs to him

Bobby y Eva por fin llegan al restaurante Don José. Entran y se sientan. El camarero les trae el menú. Mientras lo lee, Bobby sigue tratando[1] de tener una conversación interesante con Eva.

Bobby: Eva, ¿qué vas a pedir?

Eva: La sopa de pescado. (silencio)

Bobby: Yo voy a pedir los tacos de pollo y un refresco.

Eva: (silencio)

---
1. sigue tratando keeps on trying

La comida tarda[2] un poco. Mientras la esperan, Bobby valientemente sigue[3] con su misión de atraer el interés de Eva. ¿Qué sabe de ella?

Bobby: Eva, me dicen que dibujas muy bien.

Eva: (silencio)

Bobby: ¿Qué dibujas?

Eva: Tiras cómicas.(silencio)

Bobby: ¿Puedo verlas?

Eva: Sí. Están en mi página Web.

Bobby: Ay, ¡qué bueno! Las busco esta noche.

---
2. tarda is slow in coming **3. valientemente sigue** valiantly continues

El camarero les trae la comida. Empiezan a comerla en silencio.

Bobby: ¿Qué tal está la sopa, Eva?

Eva: Deliciosa, gracias. (silencio)

Bobby: ¿Quieres probar mis tacos de pollo?

Eva: No, no gracias, Bobby. No tengo mucha hambre.

A. Subraya
Underline three phrases where direct object pronouns are used. What nouns do they refer to?

1. _____

2. _____

3. _____

B. Contesta
Choose the word or words that best complete each sentence.

1. Al principio, el camarero les trae…

   a. la cuenta. **b.** el menú.

2. A Bobby le preocupa que Eva no quiere…

   a. hablar. **b.** comer.

3. Bobby va a buscar… de Eva en la página Web.

   a. las tiras cómicas

   b. los poemas

4. Eva no quiere probar los tacos porque…

   a. no le gustan.

   b. no tiene hambre.

C. Analiza
Is the date working for Bobby? For Eva? Why or why not?

_____

_____

_____

_____

Mientras lees

A. Subraya
Underline four phrases on this page where feelings and emotions are being expressed. What does Bobby say? And Eva?

Bobby _____

_____

Eva _____

_____

B. Contesta
Choose the word or words that best complete each sentence.

1. El celular de Bobby suena y él...
   a. lo ignora.   b. lo contesta.

2. Bobby hacer caer la salsa...
   a. sobre Eva.
   b. sobre el mesero.

3. Entonces, Bobby hace caer...
   a. los tacos.   b. la sopa.

4. Bobby está...
   a. nervioso.   b. contento.

C. ¡Exprésate!
Imagine that you are Bobby or Eva on this date. What would you do to improve the situation?

_____

_____

_____

Suena el celular de Bobby. Cuando lo va a contestar, por accidente, hace caer la salsa en la mesa y un poquito cae en la blusa de Eva. Luego, cuando trata de limpiar la mesa, hace caer la sopa sobre los *jeans* de Eva.

1. **Perdóname** Forgive me

Eva se ríe a carcajadas...

Bobby pide la cuenta y la paga.

Esa noche, Eva dibuja una tira cómica de su cita con Bobby y la pone en su página Web.

Después de leer

Actividades

A En contexto

Choose the best answer for each question.

1. ¿Donde puede ver Bobby las tiras cómicas de Eva?
   a. En el auditorio del colegio.
   b. En la página Web de Eva.
   c. En la biblioteca del pueblo.

2. ¿Qué piensa Bobby del silencio de Eva?
   a. Piensa que ella no está contenta.
   b. Piensa que ella es antipática.
   c. Piensa que ella es introvertida.

3. ¿Qué pide Eva en el restaurante?
   a. la sopa de pescado
   b. los tacos de pollo
   c. un refresco

4. ¿Cómo se describe Bobby cuando hace caer la sopa?
   a. Dice que él es inteligente.
   b. Dice que él es torpe.
   c. Dice que él está nervioso.

5. ¿Qué hace Eva esa noche?
   a. Dibuja una tira cómica de la cita.
   b. Dibuja una tira cómica de su familia.
   c. Dibuja una tira cómica del restaurante.

6. En la tira cómica, ¿quién es torpe?
   a. el camarero
   b. Bobby
   c. Eva

B En resumen

Choose the words that best complete the paragraph about *Eva y la cita desastrosa.*

cita	contento	reírse	hace caer
cuenta	nervioso	restaurante	desastrosa

Bobby y Eva van a un **1.** _____ mexicano.

Bobby se pone **2.** _____ porque Eva no

habla mucho. No parece interesada. Por accidente, él

3. _____ la salsa sobre los *jeans* de Eva.

Bobby no sabe qué hacer y Eva empieza a

4. _____ a carcajadas. Bobby pide la

5. _____ y la paga. Más tarde, Eva dibuja

una tira cómica sobre la **6.** _____ con

Bobby y la pone en su página Web. Ella sabe que Bobby va a mirarla y va estar

7. _____. Después de todo, no fue una cita totalmente **8.** _____.

C **¡Piénsalo bien!**
Answer the following questions.

1. Is Bobby right in thinking that the date was a disaster? Give examples from
the text to support your opinion.

_____

_____

2. From Eva's point of view, was the date "a disaster"? Give examples from
the text to support your opinion.

_____

_____

3. Do you think Bobby and Eva will go out on a date again? Why or why not?

_____

_____

D **¡Exprésate!**
Write a list of five things that could go very wrong on a date. Include
as much detail as possible.

Mis apuntes

1. _____

2. _____

3. _____

4. _____

5. _____

E **Un poco más**
Now, use some of your notes from **¡Exprésate!** and write your own version of
a disastrous date. Include a description of the people on the date and the place
they are going to, as well as the dialogue among the characters. If you want,
you can write your story in the form of a comic strip. **¡Diviértete!**

Sabor étnico: Culture in a Dish

You have probably heard the phrase "You are what you eat," and nothing could be more true when it comes to foods that define a culture. It is common to associate certain foods with certain cultures. When we think of America, we think of hamburgers and apple pie. We think of *baguettes* and *croissants* from France, *Strudel* and *Sauerkraut* from Germany, and *pasta* and *pizza* from Italy.

The Spanish-speaking world has cuisines that are particular to each culture and region. Due to their location on the sea, countries in the Caribbean and in South America use fish in many of their main dishes. Plantains also figure prominently in the cuisine of all these fruit-rich countries. A side of fried plantains (**tajadas de plátano**) with a meal is as common as French fries are with our hamburgers.

▲ Racimo de plátanos Platanar en Grenada

In El Salvador, **pupuserías** are a common sight both in the city and the country. **Pupusas** are made of flour or corn and are filled with different kinds of meats, depending on your taste. You can have **arepas con mantequilla** in Venezuela; **tamales** and **empanadas** in Colombia; and of course, you can't travel to Argentina without partaking of their wonderful steaks **a la parrilla**.

Mexico is so vast that different regions specialize in different cuisines. You can find **enchiladas, tamales, tacos**, and **tortillas** everywhere, and since Mexico is home to hundreds of varieties of hot peppers called **chiles**, spicy salsas often accompany these dishes.

As for Spain, you can't be there and not have a taste of **tapas** in the early evenings, or a dish of **paella**. **Tapas** are small snacks that can range from cold meats and cheeses or a slice of **tortilla a la española**, to elaborate hot dishes of seafood, meat or vegetables.

It doesn't matter what you eat! The important thing is to eat with friends and family, as you share your day's events with the people you love most.

▲ Paella, plato típico español

¡Exprésate!

1. Why do you think we associate certain foods with certain cultures?

_____

_____

2. What fruit is a common side dish in Latin American cuisine?

_____

3. What are **tapas**? Where and when would you eat them?

_____

▲ La Plaza Mayor, Madrid, España

La comida de dos continentes
Prepárate: vocabulario

Before you read **La comida de dos continentes,** study the words in **Mi pequeño diccionario** and do the activities that follow. Knowing these words will help you understand the reading.

Mi pequeño diccionario

alrededor *around*

asegurar *to assure*

cocina *cuisine*

comerciar *to trade*

contar(ue) *to tell*

cultivarse *to cultivate*

empezar(ie) *to begin*

grano *grain*

hervido(a) *boiled*

miel *honey*

mole *a special sauce that has chocolate in it*

pensar(ie) *to think*

picante *hot spice; spicy*

preparación *preparation*

probar(ue) *to taste*

rojo(a) *red*

sabor *flavor*

sustancia *substance*

tomar *to drink*

venenoso(a) *poisonous*

Actividades

A Con lógica

Choose the word from Column B that would be best associated with each word from Column A.

Columna A	Columna B
_____ 1. tomate	**a.** rojo
_____ 2. chile	**b.** hervido
_____ 3. huevo	**c.** cultivar
_____ 4. la cena	**d.** preparación
_____ 5. grano	**e.** picante

B La palabra intrusa

Underline the word that does not belong in each series.

1. mole, miel, salsa, grano

2. añadir, asegurar, calentar, cortar

3. salado, picante, venenoso, hervido

4. maíz, mole, tomate, chile

5. sabor, preparación, cocina, sustancia

6. preparar, probar, contar, tomar

Estrategia para leer

Mientras lees

The main idea When reading a text, look first for the main idea of each paragraph. After that, read carefully all the details that support the main idea. This will help you better understand the text.

Practica la estrategia

A **La idea principal**

Complete the chart below as you read **La comida de dos continentes.** Quickly read the text and write an English sentence that sums up the main idea of each paragraph. Then, read the text again and add details that support your summary of the main idea.

La comida de dos continentes

El tomate	El chocolate: ¿para beber o comerciar?

Supporting details	Supporting details

Main ideas

El maíz: sustancia del hombre	Los chiles: el picante del mundo

Supporting details	Supporting details

Para empezar...
Have you ever been served a food that you had never seen before? What was it? Did you like it?

_____

_____

A. Subraya
Find and underline five ingredients on this page. Which ones were used by the aztecs to prepare **el chocolate**? List them here.

1. _____

2. _____

3. _____

4. _____

B. Contesta
Choose the word or words that best complete each sentence.

1. ... viene originalmente de América Central.

   a. El chocolate **b.** El tomate

2. Cuando el tomate llega a Europa, la gente piensa que es una fruta...

   a. picante.   **b.** venenosa.

3. Los aztecas... el chocolate en ceremonias religiosas.

   a. cultivan   **b.** toman

C. Analiza
Was chocolate valuable to the aztecs? How do you know that? Give two examples from the reading to support your opinion.

_____

_____

La comida de dos continentes

Much of the food that is consumed around the world today is made from ingredients that came originally from the Americas. Tomatoes, chocolate, corn, chile peppers, vanilla, pears, and potatoes are some of the foods that the Spanish conquistadors presented to the kings of Europe. Read the following article in order to learn more about the history of four of these foods.

El tomate

El tomate es originalmente de México. Cuentan que cuando los exploradores llevan el tomate a Europa en el siglo XVI, ¡nadie lo quiere comer! Por su color rojo tan fuerte, todos piensan que es una fruta venenosa. Los exploradores aseguran que lo pueden comer sin problema y la gente poco a poco empieza a probarlo.

En la actualidad[1], el tomate es un ingrediente básico en la preparación de platos alrededor del mundo.

El chocolate: ¿para beber o comerciar?

El chocolate es original de América Central. En México, los aztecas lo usaban[2] con varios propósitos. Antes del trabajo, los hombres lo tomaban[3] por la mañana, hervido con miel, agua y vainilla, y otra vez, por la tarde, después de la comida. Para el Gran Moctezuma, líder de los aztecas, el chocolate era[4] su bebida diaria y además, un elemento importante en los ritos, en las ceremonias y para comerciar.

---

1. En la actualidad Today **2. usaban** used **3. tomaban** (they) would drink
4. era was

El maíz: sustancia del hombre

Se dice[1] que el maíz empieza a cultivarse en América desde hace 10,000 años. Todos los miembros de la cultura maya comen maíz, desde el esclavo[2] hasta el rey. El *Popol Vuh*, libro religioso de los mayas, cuenta que el hombre mismo[3] se hace de[4] maíz. Cuando los exploradores españoles vienen a México prueban el maíz por primera vez en forma de tortillas y tamales.

Hoy en día, el maíz constituye un 20% de las calorías consumidas mundialmente[5]. En Estados Unidos se produce el 45% del maíz del mundo (mucho de éste destinado al ganado[6]) y en el continente de África el maíz es el grano que más se cultiva.

Los chiles: el picante del mundo

Los chiles, sin duda[7], son el ingrediente más representativo de la comida mexicana en el mundo. En México hay más de cien variedades de chiles con nombres y sabores diferentes. Algunos de los chiles más típicos son el serrano, el chipotle, el guajillo y el habanero, nativo de Yucatán y ¡muy picante!

Los grupos indígenas usan el chile para añadir sabor a los frijoles, las salsas, los arroces[8] y los moles. Aunque[9] el uso del chile no es tan popular entre los europeos, la llegada[10] de éste a Asia cambia la cocina de la región para siempre. Hoy día se consumen más chiles en Tailandia que en cualquier[11] otro país del mundo.

....

1. **Se dice** It is said   2. **esclavo** slave   3. **hombre mismo** man himself   4. **se hace de** is made of   5. **mundialmente** worldwide   6. **ganado** livestock   7. **sin duda** without a doubt   8. **arroces** rice dishes   9. **Aunque** Although   10. **la llegada** the arrival   11. **cualquier** any

---

Mientras lees

Acuérdate

When conjugating stem-changing verbs in Spanish, remember that there are vowel stem changes from e to **ie**, or o to **ue**.

querer ⟶ qu**ie**ro

c**o**ntar ⟶ c**ue**nto

A. Ponle color

Highlight four stem-changing verbs on the first paragraph and write their infinitives here.

1. _____

2. _____

3. _____

4. _____

B. Contesta

Write **c) cierto** or **f) falso**, based on the readings. Correct the statements that are false.

___ 1. El maíz es un grano original de Europa.

_____

___ 2. Los mayas comen tortillas y tamales de maíz.

_____

___ 3. El chile es muy popular en Europa.

_____

C. ¡Exprésate!

¿Why do you think **chiles** are so popular in México?

_____

_____

_____

Después de leer

A En contexto

Choose the word or words that best complete each sentence.

1. El tomate se usa en... de platos riquísimos alrededor del mundo.

    a. la sustancia
    b. la cocina
    c. la preparación

2. Los hombres aztecas toman el chocolate...

    a. antes del trabajo.
    b. después del desayuno.
    c. antes del almuerzo.

3. El maíz viene originalmente de...

    a. Asia.
    b. México.
    c. Guatemala.

4. En África,... es el grano que más se cultiva.

    a. el arroz
    b. el café
    c. el maíz

5. Hay más de cien variedades de... en México.

    a. chiles
    b. maíz
    c. chocolate

6. El país que consume más chiles en todo el mundo es...

    a. México.
    b. Tailandia.
    c. Cuba.

B ¿Hecho u opinión?

Write **Hecho** if the statement is a statement of fact and **Opinión** if the statement reflects an opinion.

_____ 1. Para los europeos del siglo XVI, el tomate es una fruta venenosa.

_____ 2. Los aztecas usan el chocolate para comerciar.

_____ 3. Al líder de los aztecas le gusta el chocolate hervido con agua, miel y vainilla.

_____ 4. El maíz es un ingrediente básico en la comida de los mayas.

_____ 5. Según los mayas, el origen del hombre está en el maíz.

_____ 6. Los Estados Unidos producen el 45% del maíz del mundo.

_____ 7. Los indígenas usan el chile para darle sabor a las comidas.

_____ 8. Los chiles son el picante del mundo.

C ¡Piénsalo bien!
Answer the following questions.

1. Why do you think the Mayas imagined that man was made from corn?

_____

_____

2. Why do you think **chiles** would be more popular in Asia than in Europe?

_____

_____

3. Are there any foods that define your culture? What are they?

_____

_____

D ¡Exprésate!
Choose another ingredient that is originally from **América** and find out more
about it. Invent your own dish based on that ingredient and write a recipe card
for it. Include some interesting facts about the ingredient, other ingredients
needed for your recipe, and steps for preparing your dish.

Mi receta

Ingredientes	Preparación
_____	_____
_____	_____
_____	_____
_____	_____
_____	_____
_____	_____

Datos interesantes _____

_____

E Un poco más
Pick an ingredient that you like very much. Go to the Internet and do some
research on it. Find out where it originated, how it was used by the people
who first cultivated it, and how it is used in recipes today.

Capítulo 7 Cuentos y cultura

In **Cuéntame un cuento** you will read about Daniel, why he thinks his life is so dull, and how that changes. In **Cultura hispana**, you will learn about various forms of wordplay like puns, proverbs, jokes and riddles and you will read four riddles and try to solve them.

Cuéntame un cuento

Daniel y sus aventuras sin gracia

Daniel is worried that the adventures he describes in his *blog* are not so adventurous! What happens that makes him think life isn't boring after all? **100**

Cultura hispana

Dichos: *The Joy in Wordplay*
What do puns, riddles, jokes and proverbs have in common? Why is wordplay so much fun? **105**

Juegos de palabras

Are you good at solving riddles? These four riddles from Argentina will test your imagination! . . . **108**

Daniel y sus aventuras sin gracia
Prepárate: vocabulario

Before you read **Daniel y sus aventuras sin gracia**, review some words you already know in **¡Ya sé...!** and study the new words in **Mi pequeño diccionario**. Then, do the activities that follow. Knowing these words will help you understand the reading.

¡Ya sé...!

encontrar(ue) *to find*

estar aburrido(a) *to be bored*

levantarse *to get up*

bañarse *to bathe*

levarse los dientes *to brush your teeth*

levantar pesas *to lift weights*

acostarse(ue) *to lie down*

buscar un pasatiempo *to get a hobby*

¡Qué lata! *What a pain!*

quitar *to take off*

Mi pequeño diccionario

creatividad *creativity*

dar órdenes *to give orders*

esperar *to wait*

exagerado(a) *exaggerated, melodramatic*

enviar *to send*

¡Felicitaciones! *Congratulations!*

pasar *to happen*

ponerse en contacto *to get in touch with*

quejarse *to complain*

sin gracia *dull*

Actividades

A **¡Siempre lo mismo!**
Write four words from **¡Ya sé...!** that are related to your daily routine.

1. _____   3. _____

2. _____   4. _____

B **Con lógica**
Choose the words from Column B that you would associate with the words in Column A.

Columna A	Columna B
_____ 1. sin gracia	a. enviar un correo
_____ 2. exagerado	b. aburrido
_____ 3. pasatiempo	c. dibujos
_____ 4. creatividad	d. leer
_____ 5. ponerse en contacto	e. melodramático

C En mi familia

Choose the verb form that best completes each sentence.

se acuestan	te levantas	me baño	nos quitamos	se queja

1. Yo _____ todas las mañanas antes de ir al colegio.

2. Mis padres _____ tarde todas la noches.

3. Mi madre _____ porque tiene que trabajar mucho en casa.

4. En mi casa, todos _____ los zapatos antes de entrar.

5. Y tú, ¿a qué hora _____ los fines de semana?

Acuérdate de la gramática

Daniel, no pongas los pies en la mesa. ¡Quítalos de allí inmediatamente!

When using **commands with pronouns** in Spanish, remember to attach the pronoun to the positive command, and place it before the verb for negative commands.

Mandato positivo	*Mandato negativo*
Mírame.	No me mires.
Léelos.	No los leas.
Escríbela.	No la escribas.
¡Acuéstate!	¡No te acuestes!
¡Duérmete!	¡No te duermas!
Hazlo.	No lo hagas.

D ¡Órdenes y más órdenes!

Complete each sentence with the correct positive or negative command of the verbs in the box.

1. Hijo. Ya son las 7:00 de la mañana ¡_____!

2. ¡No te duermas en el sofá! _____ en tu cama.

3. ¡Limpia tu cuarto ya y _____ tanto!

4. No _____ melodramático. Eres muy exagerado.

5. _____ con Anita. Hace tiempo no le hablas.

| quejarse |
| ponerse en contacto |
| dormirse |
| ser |
| levantarse |

Estrategia para leer

Chronological order Most stories are told in chronological order, that is, there is a sequence of events, much the way they happen in life: first this happened, then that happened, finally somehing else happened. While you are reading a story, it is important to notice how things happen in time, chronologically. This will help you understand what is going on.

Practica la estrategia

A **Órden cronológico**

The words in the lists below will help you figure out the chronological order in a text. Choose the words that correspond to each category and write them in the chart.

Secuencia temporal	En un día de colegio	En un mes	En un año
ahora	por la mañana	el fin de semana	en invierno

el viernes	en verano	mañana	por la noche
luego	siempre	en diciembre	a veces
el sábado	el fin de mes	por la tarde	el domingo
el primero de	empezar	hoy	al final
antes de	después de clases	en otoño	en primavera

B **¿Qué pasa primero?**

Use some of the words above to write about your routine **en un día de colegio**.

_____

_____

_____

_____

_____

Daniel y sus aventuras sin gracia

Para empezar...

Do you sometimes think that your daily routine is boring? What things do you do to change that?

_____

_____

A. Identifica

Underline three sentences related to Daniel's daily routine. What does he do first? What does he do last?

1. Lo primero _____

2. Lo último _____

B. Contesta

Choose the word or words that best complete each statement.

1. Daniel está...

   a. enojado.   **b.** aburrido.

2. Por la mañana, después de levantarse...

   a. se baña.

   b. levanta pesas.

3. Por la noche, después de hacer la tarea...

   a. cena.   **b.** se acuesta.

4. Él quiere escribir algo... en su *blog*.

   a. fantástico   **b.** interesante

C. Analiza

Why does Daniel think that his life is dull? Is he right? Why or why not?

_____

_____

Daniel habla con su mejor amigo Eduardo después de clases.

Eduardo: ¿Qué te pasa, Daniel?
Daniel: Estoy aburrido.
Eduardo: ¿Aburrido? ¿Por qué?
Daniel: Pues quiero escribir algo interesante en mi *blog*, pero no me pasa nada interesante.

Por las mañanas me levanto, me baño y me lavo los dientes.

Luego, en el colegio voy a las clases, como en la cafetería y después, voy al gimnasio a levantar pesas.

Por las noches, ceno con mi familia, hago la tarea y me acuesto.

Eduardo: Ya veo… ¿Por qué no buscas un pasatiempo?

Daniel: ¡Ya tengo un pasatiempo! Mi pasatiempo es escribir en mi *blog*. Pero, si nunca pasa nada interesante, ¿de qué voy a escribir?

Eduardo: No seas exagerado, Daniel. ¡No te quejes tanto! Tu vida no es tan aburrida. A ver[1]… ¿Qué haces los fines de semana?

Daniel: ¡Uy! ¡Los fines de semana! Mamá me da órdenes. Papá me da órdenes. Mis abuelos me dan órdenes. Los fines de semana son para darme órdenes. ¡Qué lata!

....

1. A ver… Let's see…

Daniel, levántate y limpia tu cuarto. ¡Límpialo ahora mismo!

1

Daniel prepara los sándwiches para tus hermanos. Prepáralos con el pan fresco.

2

Daniel, lava el carro. Lávalo esta mañana, por favor.

3

Daniel, saca al perro a pasear. ¡Sácalo ahora mismo!

4

Daniel, no pongas los pies en la mesa. ¡Quítalos de allí inmediatamente!

5

Daniel, haz la tarea antes de acostarte. ¡No esperes hasta el domingo para hacerla!

6

Mientras lees

A. Ponle color

Highlight six positive commands used with pronouns on this page and write two sentences where negative commands are used.

1. _____

_____

2. _____

_____

B. Contesta

Choose the word or words that best complete each sentence.

1. El fin de semana es para darle… a Daniel.

   a. felicitaciones
   b. órdenes

2. La mamá le dice a Daniel:

   a. Limpia el cuarto ahora.
   b. ¡Límpialo más tarde!

3. El papá le dice a Daniel: ¡… los sándwiches!

   a. Pasa   b. Prepara

4. El abuelo le dice a Daniel: ¡Lava el carro esta…!

   a. mañana   b. tarde

5. La abuela le dice a Daniel:

   a. ¡No lo saques!
   b. ¡Saca al perro ahora mismo!

C. Compara

Compare Daniel's weekend with your own. Are they similar or different?

_____

_____

_____

_____

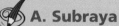

A. Subraya

Underline three positive commands on this page. How can Daniel get in touch with Eva?

_____

_____

B. Contesta

Choose the word or words that best complete each statement.

1. Daniel navega por Internet…

  a. para buscar ideas para su blog.

  b. para ver las tiras cómicas de Eva.

2. Daniel ve a la artista del momento en la página Web…

  a. del club de español.

  b. de su colegio.

3. Eva dibuja desde…

  a. los diez años.

  b. los seis años.

4. Daniel decide…

  a. enviarle un e-mail.

  b. llamarla por teléfono.

C. ¡Exprésate!

Do you think Daniel should or shouldn't send an e-mail to Eva? Why or why not?

_____

_____

Eduardo: Pobre Daniel[1]. No sé que decirte…

Daniel: Pues, no hay nada que decir. Voy a navegar por Internet a ver si encuentro algo interesante. ¡Nos vemos!

Eduardo: Adiós.

Daniel navega por Internet. Él decide ir a la página de un colegio que está al otro lado de la ciudad para ver qué escriben los estudiantes de ese colegio. Busca ideas para su *blog*.

....

1. Pobre Daniel Poor Daniel

Archivo	Editar	Ver	Herramientas	Ayuda

Artista Del Momento
Eva del Castillo

Eva del Castillo dibuja desde los 6 años. Puedes ver sus dibujos en la biblioteca del colegio. Festival del arte: 18 octubre a 22 noviembre.

A Eva le gusta dibujar tiras cómicas de su vida. En ésta, Eva dibuja sobre una cita desastrosa en un restaurante. Eva es muy cómica y tiene mucho talento. ¡Felicitaciones Eva! ¡Sigue[2] con tu arte!

Si quieres ponerte en contacto con la señorita del Castillo, envíale un correo electrónico a EvaC_clubesp.@exchange.hrw.com o búscala en el salón de la clase de arte. ¡Nos dice un pajarito[3] que ella pasa mucho tiempo en ese salón!

....

2. Sigue Continue   **3. Nos dice un pajarito** A little birdie tells us   **4. "Quien no arriesga, no gana."** He who doesn't take a risk, doesn't win.

102 Capítulo 7

Después de leer

A En contexto

Choose the best answer according to the context of the story.

1. ¿Por qué cree Daniel que su vida es aburrida?

    a. Porque hace las mismas cosas todos los días.
    b. Porque su familia es aburrida.
    c. Porque no tiene un pasatiempo.

2. ¿Qué necesita hacer Daniel, según Eduardo?

    a. conseguir una novia.
    b. Buscar un pasatiempo.
    c. Salir más con su amigos.

3. ¿Quiénes le dan órdenes a Daniel?

    a. Sus hermanos.
    b. Su mamá y papá.
    c. Sus padres y sus abuelos.

4. ¿Qué debe hacer con el perro?

    a. Sacarlo a pasear.
    b. Darle de comer.
    c. Lavarlo.

5. ¿Qué debe hacer con el carro?

    a. Ponerlo en el garaje.
    b. Lavarlo.
    c. Llevarlo al mecánico.

6. Daniel dice que su vida ya no es aburrida...

    a. porque le gusta Eva.
    b. porque va a tomar clases de arte.
    c. porque va a ir al Festival de las Artes.

B ¿Comprendiste?

Answer the following questions with complete sentences.

1. ¿Qué hace Daniel todos los días?

   _____

2. ¿Qué órdenes recibe Daniel de su madre?

   _____

3. ¿Qué órdenes recibe Daniel de su padre?

   _____

4. ¿Qué órdenes recibe de sus abuelos?

   _____

5. ¿Qué consejos recibe de su amigo Eduardo?

   _____

6. ¿Qué decide hacer Daniel para mejorar *(to improve)* su *blog*?

   _____

C ¡Piénsalo bien!

Answer the following questions.

1. Would having a hobby make your life more interesting? Why or why not?

_____

_____

2. How do you interpret the saying **"Quien no arriesga, no gana"**? How does it apply to Daniel's situation?

_____

_____

3. Do you think that sending an e-mail to Eva is going to change Daniel's life? Why or why not?

_____

_____

D ¡Exprésate!

Pretend that you are Daniel's friend. What advice would you give him about the do's and dont's of contacting Eva?

Modelo   Ve al salón de clase de arte de Eva.
            No le digas cómo te sientes.

1. _____

2. _____

3. _____

4. _____

E Un poco más

Now, pretend you are Daniel, and write your e-mail to Eva.

Archivo   Editar   Ver   Herramientas   Ayuda

Atrás   Adelante   Actualizar   Detener   Página Inicial   Buscar   Favoritos   Correo   Imprimir

Dirección:

Querida Eva,

Dichos: The Joy in Wordplay

Since the beginning of time, humans have played with words. Language invites creativity: it can shape our understanding of life; it can get us through dark times with humour; it can help us put a name to our feelings and our dreams.

There are many forms of wordplay: puns, riddles, jokes and proverbs, among others. Puns are phrases that use words in a humorous way to suggest different meanings. Companies often use puns in their advertising. For example, an ad for a subscription to a newspaper might say "We have issues." An ad for a company that builds elevators might say, "We'll take you to the top."

A riddle is a mystifying, misleading or puzzling question posed as a problem to be guessed or solved. Jokes are said or done to provoke laughter—they usually come in the form of a brief oral narrative with a climactic humourous twist. A proverb is a brief, popular saying that encapsulates something true about life.

In Spanish-speaking cultures, wordplay is very common among family and friends. Having a sense of humour is a way of elevating everyday life into something more amusing and enjoyable. A very common form of wordplay is the **dicho** or **refrán.** These proverbs are often quoted in conversation or used in advertising and other printed formats. They distill the essence of a feeling or an observation about life in a way that brings laughter or comfort. Do you know any proverbs in English that you live by? Look at the **dichos** on this page and try to decipher what they mean.

1. **A mal tiempo, buena cara.**

2. **En gustos no hay disgustos.**

3. **No dejes para mañana lo que puedes hacer hoy.**

¡Exprésate!

1. What do riddles, puns and jokes all have in common?

_____

_____

2. What is the purpose of a riddle, joke or pun?

_____

_____

3. Do you think having a sense of humour is so important in life?

_____

_____

Juegos de palabras
Prepárate: vocabulario

Before you read **Juegos de palabras,** study the words in **Mi pequeño diccionario** and do the activities that follow. Knowing these words will help you understand the reading.

Mi pequeño diccionario

bajar *to fall down*

cielo *sky*

desierto *desert*

despierto(a) *awake*

estar despierto(a) *to be awake*

dormir(ue) *to sleep*

estallido *crackling*

estar dormido(a) *to be asleep*

estrellas *stars*

llover(ue) *to rain*

lluvia *rain*

nubes *clouds*

piernas *legs*

relámpago *lightning*

rogar(ue) *to beg*

suelo *ground*

tierra *earth*

tormenta *storm*

trueno *thunder*

viento *wind*

volar(ue) *to fly*

Actividades

A La palabra intrusa
Underline the word that doesn't belong in each series.

1. suelo, tierra, relámpago, desierto

2. rogar, piernas, andar, largas

3. estrellas, tierra, nubes, cielo

4. estallido, trueno, relámpago, nubes

5. sol, lluvia, tormenta, trueno

6. estrella, dormido, noche, despierto

B Elige
Choose the word from the box that best completes each sentence.

1. Hay nubes en el _____.

2. Durante una _____, hay relámpagos.

3. En el desierto nunca _____.

4. Por la noche, hay _____ en el cielo.

5. La lluvia baja de las _____.

6. Las hojas *(leaves)* _____ con el viento.

estrellas
tormenta
nubes
cielo
llueve
vuelan

Estrategia para leer

Mientras lees

Key words As you read the riddles think of the most important words in each one of them. Selecting key words will help you identify the theme, the main ideas, and the answers to the riddles.

A Palabras clave

Read the first riddle once. Then go back and select the words in the riddle that you think are the most important ones. Record them in the chart below. Think about how the words relate to each other and write down what you think is the main idea of the riddle. Guess what the answer to the riddle might be. Then, repeat the process with the rest of the riddles.

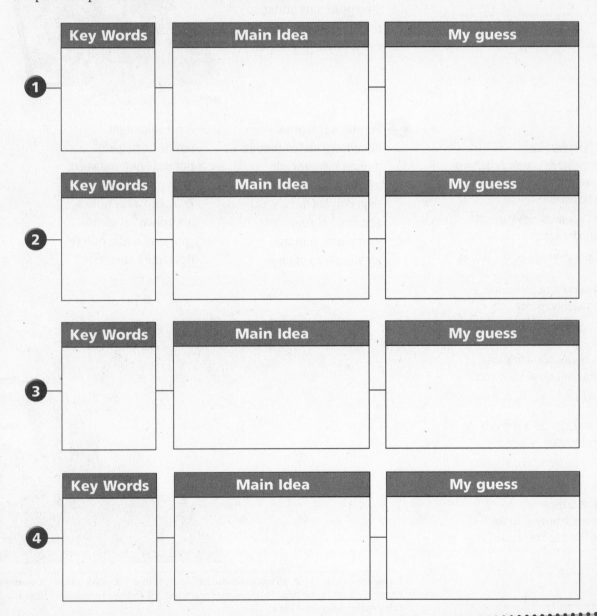

	Key Words	Main Idea	My guess
1			
2			
3			
4			

Juegos de palabras

Mientras lees

Para empezar...
What is the basic setup of a riddle?

_____

_____

A. Subraya
Skim the text and underline five words on this page that relate to nature or weather. Then, list the words here and double check their meanings with a classmate.

1. _____
2. _____
3. _____
4. _____
5. _____

B. Contesta
Read the riddles again and choose the answer that best completes each statement.

1. En la primera adivinanza, el narrador tiene...
   a. dos piernas. **b.** dos brazos.

2. En la primera adivinanza, el narrador no puede...
   a. comer.   **b.** andar.

3. En la segunda adivinanza, el narrador baja al suelo con...
   a. el sol.   **b.** la lluvia.

4. El narrador de la segunda adivinanza nunca va...
   a. al desierto. **b.** al cielo.

C. Analiza
What is the answer to the first riddle? And to the second?

1. _____
2. _____

108 Capítulo 7

In Argentina, as in many places, word games are one of the favorite types of entertainment among children and adults. Here, two Argentinian authors present four easy riddles about common, everyday things. The first one and the last one are from the book *Adivinanzas* (Riddles) by Carlos Silveyra, teacher and author. The other two are riddles from the book *Los rimaqué* by Ruth Kaufman, who is also a teacher. See if you can guess the riddles.

Adivinanzas

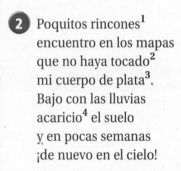

1 Dos buenas piernas tenemos
y no podemos andar,
pero el hombre sin nosotros
no se puede presentar.

2 Poquitos rincones[1]
encuentro en los mapas
que no haya tocado[2]
mi cuerpo de plata[3].
Bajo con las lluvias
acaricio[4] el suelo
y en pocas semanas
¡de nuevo en el cielo!

A un solo lugar
jamás he llegado[5]
por más que mil veces
lo haya intentado[6].
Le ruego a las nubes
le suplico[7] al viento
¿por qué nadie quiere
llevarme al desierto?

1. **rincones** corners 2. **no haya tocado** has not touched 3. **plata** silver 4. **acaricio** I caress 5. **jamás he llegado** I have never arrived 6. **lo haya intentado** I have tried 7. **le suplico** I implore, I beg

3 Se ponen las nubes
redondas[1] y negras
de la tierra sube
olor[2] a tormenta.
Un fuerte estallido
y volamos los dos:
hermanos mellizos[3]
relámpago y yo.
Si juntos salimos
a andar por el mundo
¿por qué llego yo
siempre segundo?

¡Yo primero,
yo primero!

4 Siempre quietas[4],
siempre inquietas[5],
dormidas de día,
de noche despiertas.

Mientras lees

Acuérdate
Remember that in Spanish
masculine adjectives generally end
in **-o** and feminine adjectives end
in **-a**. Adjetives ending in **-e** can
be masculine or feminine.

edifici**o** alt**o**
chica inteligent**e** y bonit**a**

A. Ponle color
Highlight four adjectives in the
third riddle. Then use two of
those adjectives to describe
these things.

1. una tormenta _____

2. un pantalón _____

B. Contesta
Read the riddles again and com-
plete the sentences with a word
from **Mi pequeño diccionario**.

1. Estos hermanos mellizos llegan

durante las _____.

2. El _____ siempre
llega primero.

3. El _____ llega
siempre segundo.

4. Las _____
duermen durante el día y por
la noche están despiertas.

C. ¡Exprésate!
Do you like riddles? Why or why
not?

_____

_____

_____

_____

---

1. redondas round **2. sube olor** smell raises **3. hermanos mellizos** twins **4. quietas**
still **5. inquietas** restless

Después de leer

A En contexto

Choose the best words to complete each statement or answer each question.

1. En la primera adivinanza, las piernas de éstos no pueden…

   a. andar.
   b. correr.
   c. bailar.

2. ¿Quién no se puede presentar sin ellos?

   a. las piernas
   b. los brazos
   c. el hombre

3. El narrador de la segunda adivinanza visita…

   a. muchos rincones del mundo.
   b. los desiertos.
   c. las nubes.

4. La tormenta empieza con las… redondas y negras.

   a. nubes
   b. lluvias
   c. estrellas

5. Cuando ellas están dormidas, es…

   a. de día.
   b. de noche.
   c. la medianoche.

6. Cuando ellas están despiertas, es…

   a. de día.
   b. de noche.
   c. el mediodía.

B En resumen

Choose the words that best complete the paragraphs about **Juegos de palabras**. Make any changes that apply, like having nouns agree with articles or adjectives.

tormenta	trueno	despierto	nube	lluvia
dormido	cielo	relámpago	estrella	pantalón

Las adivinanzas siempre tienen dentro de ellas una contradicción que necesita solución. Los **1.** _____ tienen dos piernas, pero no pueden andar. La **2.** _____ quiere ir al desierto con las

3. _____ y el viento, pero esto no puede pasar. Dos hermanos mellizos siempre llegan con la **4.** _____. ¿Quiénes son ellos? El

5. _____ y el **6.** _____, por supuesto.

   Y las **7.** _____, quietas e inquietas al mismo tiempo, viven en el

8. _____. Cuando están **9.** _____, es de noche para el resto del mundo que está **10.** _____. Así son las adivinanzas. Parecen

(they seem) sin solución y por eso, **¡rompen cabezas!**

C ¡Piénsalo bien!
Answer the following questions.

1. Riddles, proverbs, puns and jokes all involve the manipulation of words to create a surprise effect. Do you know of one in English that you like? Write it here and share it with the class.

_____

_____

2. Why do you think people from Spanish-speaking cultures like word games?

_____

_____

3. Do you think wordplay is fun? Does your family engage in wordplay?

_____

_____

D ¡Exprésate!
Write a simple riddle in Spanish. First pick an item that is going to be your narrator. Then think of something funny or contradictory about that item. Use as few words as possible. Have fun! Do a drawing with it if you can.

_____

_____

_____

_____

_____

_____

_____

Aunque tengo cara,
no tengo ojos,
ni nariz ni boca.
¡Pero sí tengo manos!

E Un poco más
Do you like the idea of wordplay? Write an ad using a pun for a company that makes a product you would like to buy. Illustrate it if you want and share it with the class.

In **Cuéntame un cuento**, you will go shopping with Eva and find out about her new friend in cyberspace. In **Cultura hispana** you will learn about the beauty of poetry and you will read a poem by a Cuban-American woman whose heart still resides in Cuba.

Cuéntame un cuento

Un amigo cibernético

Cultura hispana

El amor a la poesía

Florida

Un amigo cibernético
Prepárate: vocabulario

Before you read **Un amigo cibernético**, review some words you already know in **¡Ya sé...!** and study the new words in **Mi pequeño diccionario**. Then, do the activities that follow. Knowing these words will help you understand the reading.

¡Ya sé...!

a la moda *in style*
blusa de seda *silk blouse*
bolsa *purse*
ganga *bargain*
quedar *to fit, to look*
talla *size*
probarse(ue) *to try on*
vestido *dress*
zapatería *shoe store*
zapatos *shoes*

Mi pequeño diccionario

aunque *although*
cibernético *from cyberspace*
¿Cómo te fue? *How did it go?*
No me fue tan bien. *It didn't go so well.*
conocer *to know (a person)*
comunicarse *to communicate*
enviar *to send*
ilustrar *to illustrate*
imprimir *to print*
recibir *to receive*

Actividades

A De compras

Write six words from **¡Ya sé...!** that are related to shopping.

1. _____   3. _____   5. _____

2. _____   4. _____   6. _____

B Empareja

Choose the descriptions from Column B that best match each word from Column A.

Columna A	Columna B
____ **1.** ilustrar	**a.** ponerse en contacto
____ **2.** cibernético	**b.** dibujos cómicos que cuentan un cuento
____ **3.** comunicarse	**c.** dar un ejemplo con dibujos
____ **4.** tiras cómicas	**d.** ponerse algo para ver cómo queda
____ **5.** probarse	**e.** algo o alguien del ciberespacio

C Él y ella

Choose the word from the box that best completes each sentence.

1. Ella quiere _____ a un muchacho creativo y divertido.

2. Él quiere tomar clases de dibujo para _____ su *blog*.

3. Ella no sabe qué pensar del e-mail, _____ se siente un poco curiosa.

4. Ella quiere una copia del e-mail, por eso lo va a _____.

5. ¿Van a ser solamente amigos _____?

> imprimir
> cibernéticos
> conocer
> ilustrar
> aunque

Fui de compras con Ana.

💡 Acuérdate de la gramática

You have learned how to use **the preterite** of **-ar** verbs to talk about what happened or what someone did at a specific point in the past. To form the preterite of **-ar** verbs, add these endings to the verb's stem.

yo compr**é**	nosotros(as) compr**amos**
tú compr**aste**	vosotros(as) compr**asteis**
usted, él, ella compr**ó**	ustedes, ellos, ellas compr**aron**

D ¿Presente o pasado?

Choose the verb form that best completes each sentence.

1. Mi amiga y yo… de compras todos los fines de semana.

   ___ **a.** vamos   ___ **b.** fuimos

2. El sábado, fuimos a Moda Moderna y yo… una blusa de seda.

   ___ **a.** compré   ___ **b.** compro

3. Mi amiga me dijo: "Esa blusa no… bien."

   ___ **a.** te quedó   ___ **b.** te queda

4. Mi amiga nunca… nada. Nada le gusta.

   ___ **a.** se prueba   ___ **b.** se probó

5. Un chico me… un correo electrónico anoche.

   ___ **a.** envía   ___ **b.** envió

Estrategia para leer

Antes de leer

Making predictions As we read, we make predictions when we think about what will happen next. Those predictions are often based on what we already know of the story, our general knowledge and background experience, and/or details that writers do not reveal directly.

Practica la estrategia

A **¿Qué será, será…?**

You have been reading about Daniel and Eva. You can use your prior knowledge about their story to try and guess what will happen in this chapter. Read the quotes from Eva's story in the left column and think about how they may be connected. Then, based on your overall impression, write a paragraph predicting what will happen in this chapter.

Frases del cuento	Mis predicciones
1. Eva, yo soy Daniel. Me gustan mucho tus tiras cómicas.	
2. Oye, Ana. Quiero ir al centro comercial. Necesito comprar algo para ponerme el día de la fiesta de Bobby.	
3. Pero, no sé. Me gusta como amigo nada más.	
4. Voy a ir a su fiesta. Allí hablo con él para decirle cómo me siento.	
5. Le enseñé a Ana el e-mail que me envió Daniel. Ella piensa que Bobby es muy simpático.	
6. Un muchacho que escribe un *blog* tiene que ser divertido, ¿no?	

Un amigo cibernético

Para empezar...

If you received an e-mail from a person who doesn't know you, but would like to meet you, would you answer it? Why or why not?

No, Because I
don't know them

A. Ponle color

Highlight a sentence in Daniel's e-mail which, in your opinion, might catch Eva's attention. Why do you think it would interest her?

_____

_____

B. Contesta

Choose the word or words that best complete each sentence.

1. Daniel se presenta a Eva...

   a. por e-mail.   b. por teléfono.

2. Al recibir el e-mail, Eva se siente un poco...

   a. enojada.   b. curiosa.

3. Eva pone el e-mail en...

   a. su abrigo.   b. su bolsa.

4. Eva llama a Ana para invitarla al...

   a. centro comercial.
   b. cine.

C. Analiza

Do you think Eva is going to show Daniel's e-mail to Ana? Why or why not?

_____

_____

Daniel quiere conocer a Eva pero no sabe su número de teléfono ni dónde vive. Quiere comunicarse con ella, así es que le escribe un e-mail.

Eva,
Yo soy Daniel. Me gustan mucho tus tiras cómicas. Yo tengo un *blog* en la Web. Si lo quieres leer, escríbeme y te doy la dirección. Yo no sé dibujar muy bien. ¿Dónde aprendiste[1] a dibujar? Quiero tomar unas clases de dibujo para poder ilustrar mi *blog*. ¿Tienes ideas? ¿Me puedes ayudar?
Tu amigo cibernético,
Daniel

1. **¿Dónde aprendiste...?** Where did you learn?

Eva recibe el e-mail de Daniel. No sabe qué pensar, aunque se siente un poquito curiosa. ¿Quién es, y más importante, cómo es Daniel? Eva decide imprimir el e-mail. Lo pone en su bolsa y llama por teléfono a su mejor amiga, Ana.

No me fue tan bien con Bobby... Ojalá este Daniel sea[2] más interesante.

2. **Ojalá... sea** Hopefully... (he) is

Doña Cecilia, ¿cómo está? Puedo hablar con Ana, por favor?

Sí, un momento, Eva. Ya te la paso

Hola Ana. ¿Cómo estás?

Bien, ¿y tú?

La mamá de Ana, doña Cecilia, contesta el teléfono.

Eva: Oye, Ana. Quiero ir al centro comercial. Necesito comprar algo para ponerme el día de la fiesta de Bobby.

Ana: ¡Ay, qué bueno! Yo voy contigo. Yo necesito zapatos nuevos para el vestido que compré ayer.

Eva: ¿Nos vemos entonces, en el centro comercial?

Ana: Sí, ¿por qué no me buscas en la tienda "Modas Modernas"?

Eva: Está bien. Te veo a las 5:30.

Ana: ¡Adiós!

Eva: Hasta luego.

Eva: ¿Qué te parecen estos jeans?

Ana: Están a la moda. ¿Por qué no te los pruebas?

Eva: Sí, buena idea.

Ana: Y ya que estás en eso, ¿por qué no te pruebas esta blusa de seda también?

Eva: Tienes razón. Me gusta el color y no es muy cara.

Ana: ¡Claro que no! Es una ganga.

¡Uy! Los jeans te quedan muy grandes y la blusa... ¡muy pequeña!

Sí, necesito unos jeans en una talla más pequeña y una blusa más grande.

Esta blusa es más bonita. ¿No crees?

¡Por supuesto! Y estos jeans te quedan mucho mejor. Cómpratelo todo. Te ves fenomenal.

Ana: ¿Cómo te fue[1] con Bobby la otra noche que fueron a cenar?

Eva: Uy… No muy bien. Él es muy extrovertido y le gusta hablar. Yo no hablé mucho.

Ana: ¿Por qué no?

Eva: No sé. Ya sabes que soy un poco tímida.

Ana: Sí, pero Bobby es muy simpático.

Eva: Sí, sí lo es. Pero, no sé. Me gusta como amigo nada más.

....

1. ¿Cómo te fue? How did it go?

A. Identifica

Eva has tried on some new clothes. How do they fit? Find two expressions used by Ana to describe Eva's clothes and how they fit, and write them here.

1. _____

2. _____

B. Contesta

Choose the word or words that best complete each sentence.

1. Eva se prueba unos jeans y…

   a. una camiseta.

   (b) una blusa de seda.

2. La blusa de seda es…

   (a) barata.   b. cara.

3. Eva necesita los jeans en una talla…

   a. más grande.

   (b) más pequeña.

4. Mientras pagan la cuenta, Eva y Ana hablan de…

   (a) Bobby.   b. Daniel.

C. Infiere

Do you think Ana is interested in Bobby? Why or why not?

_____

_____

_____

A. Haz una lista

What did Eva do today? List three things she did after shopping with Ana. Make sure to use the third person, (ella), in your answer.

1. _____

2. _____

3. _____

B. Contesta

Choose the word or words that best complete each sentence.

1. Eva piensa hablar con Bobby en…

   a. el colegio.   b. la fiesta.

2. A Ana le interesa…

   a. Bobby.   b. Daniel.

3. Eva escribió en su… todo lo que pasó.

   a. diario   b. Web page

4. Eva le envió a Daniel… por e-mail.

   a. una carta
   b. una tira cómica

C. ¡Exprésate!

Do you think Eva should wait until the party to talk to Bobby? Why or why not?

_____

_____

_____

Eva no sabe si contarle a Ana sobre el e-mail de Daniel ahora, o más tarde. Finalmente decide mostrárselo[1] ahora.

Eva: Mira, recibí[2] este e-mail hoy.
Ana: ¿De quién es?
Eva: Es de un chico que se llama Daniel.
Ana: ¿Contestaste el e-mail?
Eva: No, todavía no.
Ana: ¿Qué vas a hacer con Bobby?
Eva: No sé. Voy a ir a su fiesta. Allí hablo con él para decirle lo que siento.

Esa noche, Eva escribe en su diario.

15 de septiembre
Querido diario,

Hoy fue un día muy interesante. Primero recibí un e-mail de un chico que se llama Daniel. Me parece un chico interesante. Escribe un **blog** en la Web y quiere aprender a dibujar. ¿Cómo será[3]?

Más tarde fui de compras con Ana. Me compré unos jeans y una blusa para la fiesta de Bobby. Luego fuimos a la zapatería. Ana se compró unos zapatos muy bonitos.

Le enseñé a Ana el e-mail que me envió Daniel. Ella piensa que Bobby es muy simpático. A mí me interesa más Daniel. Un muchacho que escribe un **blog** tiene que ser divertido, ¿no?

Por fin regresé a casa y contesté el e-mail de Daniel. Dibujé una tira cómica y se la envié. Ojalá le guste[4].

Buenas noches, querido diario. Hasta mañana.
Eva

---

1. **mostrárselo** show it to her   2. **recibí** I got   3. **¿Cómo será?** I wonder what he is like
4. **Ojalá le guste** I hope he likes it

Después de leer

A En contexto

Choose the best answer for each question.

1. ¿Qué le pide Daniel a Eva en su e-mail?
   a. Su número de teléfono.
   b. La dirección de su página Web.
   c. Ideas para unas clases de dibujo.

2. ¿Cuál es la reacción de Eva al e-mail de Daniel?
   a. Quiere saber más de él.
   b. No quiere saber nada de él.
   c. Quiere pensarlo bien.

3. ¿Por qué quiere Eva comprar ropa nueva?
   a. Quiere impresionar a Daniel.
   b. La necesita para ir al colegio.
   c. Quiere verse bien en la fiesta de Bobby.

4. ¿Qué compra Eva al final?
   a. Unos jeans y una blusa.
   b. La blusa de seda.
   c. Los jeans grandes.

5. ¿Qué siente Eva por Bobby?
   a. Quiere salir con él otra vez.
   b. No quiere verlo nunca jamás.
   c. Quiere ser su amiga.

6. ¿Qué piensa Ana de Bobby?
   a. Piensa que es el amigo de Eva.
   b. No le interesa mucho.
   c. Le gusta muchísimo.

B Comprendiste?

Answer the following questions about **Un amigo cibernético.**

1. ¿Qué le envió Daniel a Eva?

2. ¿Qué hicieron Eva y Ana hoy?

3. ¿Qué se probó Eva en la tienda de ropa?

4. ¿Cómo le quedaron los primeros jeans a Eva?

5. ¿Qué le contó Eva a Ana sobre Bobby?

6. ¿Qué le envió Eva a Daniel?

¡Piénsalo bien!

Answer the following questions.

1. Were the predictions you made about the story in **Estrategia para leer**, correct? Explain why or why not.

_____

_____

2. What do you think Eva has in common with Daniel that she doesn't have with Bobby?

_____

_____

3. What would be the advantanges or disadvantages of having a cyber friend?

_____

_____

D **¡Exprésate!**

Write a list of all the things you did last weekend. Include the ordinary things and the extraordinary.

_____

_____

_____

_____

_____

E **Un poco más**

Use your list from **¡Exprésate!**, to write a diary entry. Use the preterit to tell where you went and what you did there. ¡Ponle mucho detalle!

Mi diario

_____

_____

_____

_____

La poesía: Images and Emotion

Poetry uses images to convey an emotion. The poet has a deep need to express something that is intense and important to say. The emotion can be one of great happiness or joy, or one of immense sadness and longing. It can express an inner conflict or satisfaction or the struggle of a multitude.

Throughout history, there have been great poets of the Spanish language. Sor Juana Inés de la Cruz, a Mexican poet from the 17th century, entered a convent at the age of sixteen. In her poetry she dealt with many topics: the shortness of life, the temporary nature of material things, and the desire to understand the universe.

Gustavo Adolfo Becquer, a 19th century poet from Spain, is known for his **Rimas,** spontaneous and romantic verses about love, loneliness, and nature. José Martí from Cuba, also from the 19th century, is known for his revolutionary poems, his constant battle for Cuba's liberty and his unflagging patriotism.

Alfonsina Storni, an Argentine poet from the 20th century, is known for her ardent feminism and her dismay at the injustices toward women. Pablo Neruda, a world renowned poet from Chile and winner of the Nobel Prize for Literature in 1971, wrote about a vast number of topics. His love poems however, stand out as some of the most beautiful in world literature.

Every poet has a theme, and as they elucidate that theme in their poetry, they transform themselves and change our understanding of the world. There are many poets who are at this very moment pouring their souls onto paper, and whose work will someday come to the forefront of the world's imagination. Are you one of them?

▲ *Life-Theatre Number*
por W. T. Benda

Rima XXI
By Gustavo Adolfo Bécquer

"¿Qué es poesía?", dices mientras clavas
en mi pupila tu pupila azul.

"¿Qué es poesía?" ¿Y tú me lo preguntas?
Poesía... eres tú.

¡Exprésate!

1. What does poetry use to express an emotion?

_____

_____

2. Who was Sor Juana Inés de la Cruz?

_____

_____

3. What is Pablo Neruda best known for?

_____

_____

El amor a la poesía
Prepárate: vocabulario

Before you read the poems by Maricel Mayor Marsán, study the words in **Mi pequeño diccionario** and do the activities that follow. Knowing these words will help you understand the poems.

Mi pequeño diccionario

a la vez *at the same time*	**esfuerzos** *efforts*	**olor** *lit., smell; fig. my soul*
allá *there*	**gel** *lit., gel; fig. my shell*	**rápido(a)** *fast*
apuntes *notes*	**grito** *scream*	**reclamar** *to claim, to demand*
canción *song*	**hogar** *home*	**separados** *apart*
corazón *heart*	**juntos** *together*	**superficie** *surface*
corrientes *currents*	**latir** *to beat*	**tener miedo** *to be afraid*
dudas *doubts*	**luchar** *to fight*	**tonada** *tune*

Actividades

A Con lógica

Match each word or phrase to the one that has a similar meaning.

_____ 1. dudas   **a.** luchar

_____ 2. superficie   **b.** preguntas

_____ 3. a la vez   **c.** al mismo tiempo

_____ 4. hacer esfuerzos   **d.** gel

_____ 5. separado   **e.** dividido

B Clasifica

Write down six words from **Mi pequeño diccionario** that are related to feelings.

1. _____   4. _____

2. _____   5. _____

3. _____   6. _____

Estrategia para leer

Mientras lees

Visual images When reading poetry it is helpful to create visual images of the ideas the poet is trying to convey. Visualizing the words as you read will help you understand the theme and ideas of the poem.

Practica la estrategia

A **Imágenes**

Draw one image that comes to mind for each one of these verses from **Un corazón dividido.** Next, write down your first impression, what you think the verse means. Then, read all your notes and write a sentence that in your opinion sums up the main idea of the poem.

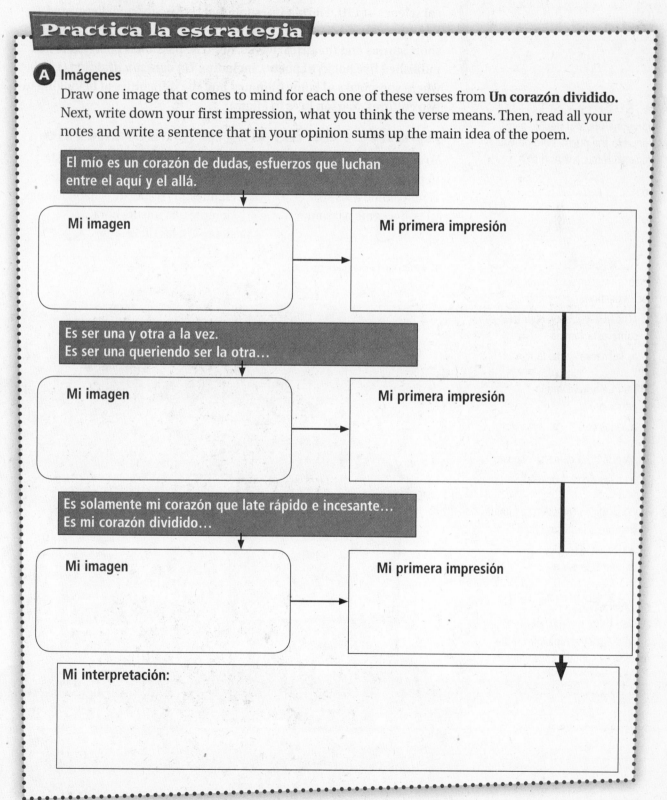

El mío es un corazón de dudas, esfuerzos que luchan entre el aquí y el allá.

Mi imagen

Mi primera impresión

Es ser una y otra a la vez.
Es ser una queriendo ser la otra...

Mi imagen

Mi primera impresión

Es solamente mi corazón que late rápido e incesante...
Es mi corazón dividido...

Mi imagen

Mi primera impresión

Mi interpretación:

Para empezar...
What do the words "postmodern home" suggest to you? Do you get any ideas from the art?

_____

_____

_____

A. Subraya
Underline the four people mentioned in the poem. Who do you think **yo** refers to? And **tú?**

yo _____

tú _____

B. Contesta
Choose the correct answer for each question.

1. ¿Quién escribe los apuntes sobre esta familia?

   a. la madre **b.** la hija

2. ¿A qué hora come la narradora?

   a. a las seis **b.** a las siete

3. ¿A qué hora come su esposo?

   a. a las ocho **b.** a las seis

4. ¿Qué hacen todos en la familia siempre a la misma hora?

   a. Hacen ejercicio.
   b. Ven televisión.

C. Analiza
Do you think the narrator is happy or not? Give examples from the reading to support your opinion.

_____

_____

_____

El amor a la poesía

Maricel Mayor Marsán was born in Cuba but has spent most of her life living in exile in the United States. She studied history and political science at FIU, Florida International University, and discovered that she wanted to dedicate herself to writing. Even though she writes short stories and theatrical works, her true passion is poetry. She has published five books of poetry, including *Un corazón dividido* (1998), where she speaks of being bilingual and the difficulties of belonging to two cultures. Marsán lives in Miami.

Apuntes de un hogar posmoderno

Yo como a las siete,
tú comes a las ocho,
el niño come a las seis
y la niña come a las nueve.

5 Queremos ser felices a toda costa[1],
todos vemos televisión separados
en nuestras respectivas habitaciones
siempre a la misma hora,
siempre a las diez.

----

1. a toda costa no matter what

FLORIDA

Un corazón dividido

El mío es un corazón de dudas,
esfuerzos que luchan entre el aquí y el allá.
Es el grito continuo de mi ser interior.
Es "estar aquí" en sustancia[1]
5 pero el "estar allá" siguiéndote[2] a todas partes.
Es como una canción sin ritmo definido
que se va contigo sin terminar la tonada.

Es ser una y otra a la vez.
Es ser una queriendo[3] ser la otra
10 y la otra deseando[4] ser la primera.
Es saber muy poco acerca
de aquellas cosas en las cuales crees.
Es saber menos acerca
de otras cosas que quieres expresar
15 pero tienes miedo reclamar.
Es la transpiración[5] de mi olor caribeño
encima de la superficie de mi gel norteamericano.

Es solamente mi corazón que late
rápido e incesante
20 como las corrientes constantes del Golfo de México.

Es mi corazón dividido
secando[6] los finales del tiempo
como el agua de esas corrientes
sobre el Estrecho de la Florida.

---

1. **en sustancia** physically   2. **siguiéndote** following you   3. **queriendo** wanting to
4. **deseando** wishing to   5. **transpiración** perspiration   6. **secando** drying

Mientras lees

Acuérdate

Remember that you can use **estar** to indicate where something or someone is.

Está en casa.

A. Ponle color

Highlight two phrases in the first stanza where **estar** is used to indicate location. Where is the narrator? Where does she want to be?

1. _____

2. _____

B. Contesta

Write **c)** for **cierto** or **f)** for **falso**. Correct the statements that are false.

____ 1. La poetisa vive en Cuba.

_____

____ 2. Ella siente que es dos personas a la vez: la persona de aquí y la de allá.

_____

____ 3. Ella no tiene miedo de reclamar.

_____

____ 4. En esencia ella siente que es caribeña.

_____

C. ¡Exprésate!

How do you think you would feel if you had been born and raised in one culture but had to live in another?

_____

_____

Después de leer

A En contexto

Choose the answer that best completes each statement.

Apuntes de un hogar postmoderno

1. Hay… personas en la familia de la poetisa.
   a. tres
   b. cuatro
   c. cinco

2. Todos comen…
   a. a la vez.
   b. a diferentes horas.
   c. enfrente del televisor.

3. Todos quieren ser felices pero no hacen nada…
   a. juntos.
   b. separados.
   c. a las diez.

Un corazón dividido

4. La poetisa tiene dudas porque…
   a. cuando está aquí, quiere estar allá.
   b. cuando está allá, quiere estar aquí.
   c. no sabe dónde quiere estar.

5. En su interior, ella lucha entre…
   a. ser norteamericana o ser cubana.
   b. ser mujer o ser poeta.
   c. ser esposa o ser madre.

6. Ella quiere expresar lo que piensa…
   a. y sabe que debe hacerlo.
   b. pero tiene miedo de reclamar.
   c. pero sabe que no van a escucharla.

B En resumen

Choose the words that best complete the paragraph about *Un corazón dividido*.

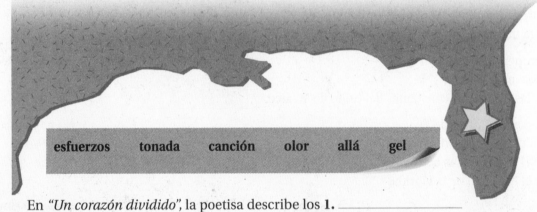

| esfuerzos | tonada | canción | olor | allá | gel |

En *"Un corazón dividido"*, la poetisa describe los **1.** _____

que resultan de venir de una cultura y vivir en otra. Tiene muchas dudas sobre su

identidad. No sabe si es de aquí, o es de **2.** _____. Su persona está en

Estados Unidos pero su mente está en Cuba. Ser americana, es como llevar un

3. _____ en la superficie porque su esencia, su **4.** _____,

es caribeño. Compara su desesperación, el grito de su ser interior, con una

5. _____ que no tiene ritmo definido, que termina sin ella saber bien

la **6.** _____. Sin saber qué hacer, sin solución.

C ¡Piénsalo bien!

Answer the following questions.

1. Poetry is the language of the soul telling its deepest truths through imagery. What images did you like the best in Marsán's poems?

_____

_____

2. Who is **"la una"** and who is **"la otra"**? Where does each of them live?

_____

_____

3. Do you understand why Marsán's heart is divided in two? Explain as best you can.

_____

_____

D ¡Exprésate!

Have you ever written a poem? Write a seven line poem in Spanish about something you feel deeply about. Think of words that best carry the weight of the emotion you are trying to express and fill in the outline given or create your own. Have fun! You can't make mistakes in poetry! It's free-form.

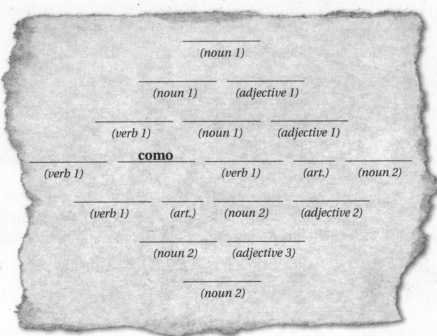

E Un poco más

Write a paragraph in English describing your reaction to the two poems by Maricel Mayor Marsán. How did they make you feel? Did you feel that the poet expressed her emotions so clearly that you could feel them yourself? Did the images resonate with you or not? Did her poetry inspire you to write your own?

Capítulo 9

Cuentos y cultura

In **Cuéntame un cuento** you will read about Daniel and Eva and how they spent their Valentine's Day. In **Cultura hispana** you will learn about many special holidays that are celebrated in **el mundo hispano** and you will read about David, a boy in the Dominican Republic who is about to have the best birthday ever.

Cuéntame un cuento

Cultura hispana

La República Dominicana

Cosas del destino...

Prepárate: vocabulario

Before you read **Cosas del destino...** review some words you already know in **¡Ya sé...!** and study the new words in **Mi pequeño diccionario**. Then, do the activities that follow. Knowing these words will help you understand the reading.

¡Ya sé...!

¡Qué gusto verte! *It's great to see you!*

¿Qué hay de nuevo? *What's new?*

celebrar *to celebrate*

conocer *to meet*

decoraciones *decorations*

estar enamorado(a) *to be in love*

Día de los Enamorados *Valentine's Day*

enseñar *to show*

festejar *to celebrate*

flores *flowers*

invitado(a) *guest*

recibir *to receive*

regalo *gift*

ya *already*

Mi pequeño diccionario

¡A lo mejor! *Maybe!*

corazón *heart*

genial *fantastic, brilliant*

imaginario(a) *imaginary*

novio(a) *boyfriend (girlfriend)*

olvidar *to forget*

recordar(ue) *to remember*

romance *romance*

romántico *romantic*

saludar *to greet*

Actividades

A La palabra intrusa

Choose the word that doesn't belong on the list.

1. ¡Qué gusto verte!, genial, ¿Qué hay de nuevo?

2. imaginario, recibir, regalo

3. decoraciones, flores, corazón

4. festejar, celebrar, saludar

5. ya, a lo mejor, es posible

6. novio, invitado, romántico

B Empareja

Choose the definition from Column B that best matches each word from Column A.

Columna A	Columna B
_____ **1.** romance	**a.** algo que existe sólo en la imaginación
_____ **2.** olvidar	**b.** celebrar
_____ **3.** imaginario	**c.** no acordarse
_____ **4.** festejar	**d.** traer a la memoria
_____ **5.** recordar	**e.** una relación romántica

C Otra fiesta

Choose the words from the box that best complete each sentence.

| flores | conozco | saludaste | ¡A lo mejor! | ¿Qué hay de nuevo? |

1. ¡Qué gusto verte! _____

2. ¿Ya _____ a los invitados?

3. ¿Quién trajo tantas _____? Están muy bonitas.

4. Yo no _____ a muchas personas aquí.

5. ¿Van a venir los chicos del club? No estoy segura. _____

Eva y Bobby están hablando.

💡 Acuérdate de la gramática

You have learned how to use **the present progressive** to say what is happening right now. Remember that the present progressive is formed by combining a present tense form of **estar** with a verb in the present participle. To form the present participle, add **-ando, -iendo,** to the stem of the verb.

Tú **estás** habl**ando**.

Ella **está** com**iendo**.

Yo **estoy** escrib**iendo**.

D ¿Qué están haciendo?

Write five sentences saying what different people are doing at a party. Use the present progressive.

1. Unos chicos / charlar

_____

2. Otros / comer

_____

3. Mamá / servir los refrescos

_____

4. Nosotros / bailar

_____

5. El invitado principal / abrir los regalos

_____

Estrategia para leer

Mientras lees

Comparing and contrasting are useful strategies to use when reading. Comparing means "seeing similarities" and contrasting means "seeing differences". As readers we often make comparisons and contrasts between characters and our own experiences, ideas and opinions. This skill helps us to draw conclusions and make inferences, as well as to promote comprehension.

Practica la estrategia

A ¡Así son!

Write what you know about Eva, Bobby and Daniel: their personalities, likes and dislikes, their interests and expectations.

> **Mis apuntes:**
>
> Eva:
>
>
> Bobby:
>
>
> Daniel:

B ¿Bobby o Daniel?

Complete the diagram, comparing and contrasting the three characters. What do they have in common? Will Eva choose Bobby or Daniel?

Bobby	Cosas en común	Eva	Cosas en común	Daniel

Me parece que _____

_____

Juegos del destino...

Para empezar...
Do you like to celebrate
Valentine's Day? Why or why not?

yes, it fun

A. Haz una lista

Look at the images and write three sentences describing what different people are doing at the moment. Use the present progressive.

1. _____
2. _____
3. _____

B. Contesta

Choose the word or words that best complete each sentence.

1. Daniel está contento porque Eva le envió...

    a. un regalo.
    b. una tira cómica.

2. Eduardo invita a Daniel...

    a. a una fiesta.
    b. a una graduación.

3. La fiesta es para celebrar...

    a. el cumpleaños de su primo.
    b. el Día de los Enamorados.

C. Infiere

Do you think Daniel feels confortable at the party? Why or why not?

Not really

Daniel está muy contento. Recibió una tira cómica de Eva y va a encontrarse con su amigo Eduardo para enseñársela.

Eduardo: Oye, Daniel, mi primo Roberto va a tener una fiesta para celebrar el Día de los Enamorados esta noche. ¿Quieres ir conmigo?

Daniel: ¡Uy! ¡Los enamorados! ¡Yo estoy súper-enamorado!

Eduardo: Ay, Daniel, ¿qué estás pensando? ¡No conoces a esa chica! ¡A lo mejor es antipática!

Daniel: No, hombre, antipática, no. Mira la tira cómica que me envió. Es genial, ¿no crees?

Eduardo: Sí, Daniel, pero no puedes tener un romance por la computadora. ¡Es mejor conocer a las chicas en la vida real.

Daniel: Está bien. Iré[1] contigo. A ver si así puedo olvidar a Eva.

1. **Iré** I will go

3

Bobby está buscando a Eva cuando ve a Eduardo. Él se acerca[1] a saludarlo.

Bobby: ¡Primo! ¡Qué gusto verte!

Eduardo: ¡Bobby! Gracias por invitarme a tu fiesta.

Bobby: ¿Qué hay de nuevo, Eduardo?

Eduardo: No, mucho. Ven, quiero presentarte a mi amigo, Daniel. Está allá, cerca de la puerta.

Bobby y Eduardo encuentran a Daniel y Eduardo hace las presentaciones.

Eduardo: Daniel, éste es mi primo, Bobby.

Bobby: Bueno, en realidad es Roberto, pero desde niño todos me llaman Bobby. Me quedé con el apodo[2] todos estos años.

Daniel: Mucho gusto, Bobby.

4

5

Bobby invita a Eduardo y a Daniel a comer. Ve a Eva y quiere ir a hablar con ella.

Bobby: ¿Ya comieron?

Eduardo: No, primo. Acabamos de llegar.

Bobby: ¿No quieren algo de comer? Hay un pastel y unas galletas muy deliciosas.

Eduardo: Sí, ¿por qué no? Vamos.

Bobby: Mientras tanto, yo voy a ver qué están haciendo mis amigas. ¡Están en su casa!

Eduardo: Gracias, Bobby.

Daniel: ¡Oye Eduardo! ¡Qué bonito todo! Pero no puedo olvidar a Eva.

Eduardo: ¡Ay, Daniel! ¡Estamos celebrando! ¿Por qué no bailas con una chica? ¡Así olvidas tu romance imaginario!

6

1. **se acerca** (he) approaches 2. **apodo** nickname

A. Subraya

What is Bobby's real name? What does he say about his nickname?

_____

_____

_____

B. Contesta

Choose the words that best complete each statement.

1. Bobby es… de Eduardo.
   a. el primo   b. el hermano

2. Bobby va a buscar a…
   a. Eva.
   b. Ana.

3. Eduardo dice que el romance de Daniel es…
   a. importante.   b. imaginario.

4. Según Eduardo, Daniel debe ir a…
   a. comer.   b. bailar.

C. Predice

What do you think will happen next? Do you think Eva and Daniel will finally meet?

_____

_____

_____

Mientras lees

A. Subraya

Is Daniel having a good time at the party or not? Explain.

_____

_____

_____

B. Contesta

Choose the best word or words to complete each statement.

1. Eva le dice a Bobby que pueden ser…

   a. novios.   b. amigos.

2. Daniel no recibió… para este Día de los Enamorados.

   a. tarjetas   b. invitaciones

3. Juan le da… a Daniel.

   a. un regalo   b. una idea

4. Daniel le manda… a Eva.

   a. una tarjeta romántica
   b. unas flores

C. ¡Exprésate!

What do you think of Daniel's card?

_____

_____

_____

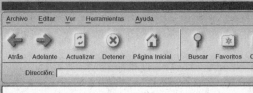

_____

1. **tristemente** sadly

134   Capítulo 9

Después de leer

A En contexto

Choose the word or words that best complete the sentences or answer the questions.

1. ¿Qué dice Eduardo sobre el amor de Daniel?

   a. que él debe conocer a otras chicas
   b. que él se debe olvidar de Eva
   c. que seguramente Eva también está enamorada de él

2. ¿Qué piensa Eduardo de los romances cibernéticos?

   a. que todos deben tener uno
   b. que son mejores que los romances reales
   c. que son imaginarios

3. Después de conocer a Daniel, Bobby quiere ir a hablar con…

   a. Juan y su novia.
   b. Ana y Eva.
   c. Eva.

4. Cuando Eduardo ve a Daniel bailando, piensa que por fin su amigo…

   a. se está divirtiendo.
   b. olvidó su romance imaginario.
   c. decidió conocer a otras chicas.

5. ¿Qué hace Juan que le da una idea a Daniel?

   a. Le compra dulces a su novia.
   b. Le escribe correos a su novia.
   c. Le envía flores a su novia.

6. ¿Según el poema de Daniel, Eva es…

   a. un poema.
   b. una flor.
   c. un regalo.

B ¿Comprendiste?

Answer the following questions about **Cosas del destino…** in complete sentences.

1. ¿Dónde fue la fiesta para celebrar el Día de los enamorados?

   _____

2. ¿Cuáles personas de las que ya conoces, asistieron a la fiesta?

   _____

3. ¿Quién es Eduardo? ¿Por qué conoce a Bobby?

   _____

4. ¿Qué le dice Eva a Bobby?

   _____

5. ¿Cómo reacciona Bobby a lo que le dice Eva?

   _____

6. ¿Por qué no se está divirtiendo mucho Daniel en la fiesta?

   _____

7. ¿Por qué se va Daniel de la fiesta con tanta prisa?

   _____

C **¡Piénsalo bien!**

Answer the following questions.

1. How do you interpret the title: **Cosas del destino…** in the context of the story?

_____

_____

2. Eduardo thinks that having a romance in cyberspace is not a good idea.
Do you agree with him? Why or why not?

_____

_____

3. What do you think Eva is going to assume when she receives Daniel's card?

_____

_____

D **¡Exprésate!**

Think of three romantic images that you would use to describe a loved one in a
poem, and write them here.

Modelo   Eres un sol porque le traes luz a mi vida.

1. _____

2. _____

3. _____

E **Un poco más**

Now use the ideas you came up with in **¡Exprésate!** and use them in a Valentine's
card for a real or an imaginary boyfriend or girlfriend. Try to be as romantic as
possible. **¡Usa tu imaginación!**

¡Feliz Día de los Enamorados!

Festividades: Celebrations and Holidays

El mundo hispano, a world filled with people who are generally joyful and upbeat, celebrates many different holidays, some historical, some religious, and some cultural and familial.

Historical holidays like **el Día de la Raza** (October 12th, the day Cristopher Columbus arrived in America) and days of national independence are celebrated in every country. **Las Pascuas is** a religious holiday that is celebrated throughout the Spanish-speaking world. It occurs at the end of Lent, the last day of Holy Week, which corresponds to Easter. Other religious holidays vary from country to country. In Mexico, for instance, **el Día de los Muertos**, the Day of the Dead, is celebrated on November 2nd to honor the memory of beloved friends and family who have passed away. In Spain, **El Día de los Reyes Magos,** January 6th, commemorates the day the Three Wise Men presented their gifts to the infant Jesus. On that day, the **Reyes Magos** bring the children their Christmas gifts.

Family celebrations are probably the most memorable in the Spanish-speaking world. **La Navidad,** Christmas, is a religious and family holiday of major significance. Families get together on Christmas Eve for midnight mass followed by **la cena de Navidad,** and the exchanging of gifts from relatives and friends. For New Year's, **El Año Nuevo,** distant and close relatives get together on New Year's Eve, and celebrate until dawn to welcome the beginning of the New Year. Families with as many as twenty, thirty or forty members make quite a big celebration!

As in the rest of the world, the unforgettable family celebrations that weave the family together into a tight unit are births, weddings, aniversaries, and of course, birthdays. What young girl could ever forget her **Quinceañera**? In **el mundo hispano,** there is always a reason to celebrate! Life is something to honor and celebrate at every turn.

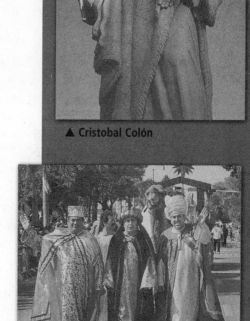

▲ Cristobal Colón

▲ Celebración del Día de los Reyes Magos

▲ Una Quinceañera

¡Exprésate!

1. Which of the holidays mentioned interests you the most? Why?

_____

_____

2. Do you think it's important to celebrate historical events and holidays?

_____

3. Which holidays are your favorites to celebrate? Why?

_____

El regalo de cumpleaños
Prepárate: vocabulario

Before you read *El regalo de cumpleaños*, study the words in **Mi pequeño diccionario** and do the activities that follow. Knowing these words will help you understand the reading.

Mi pequeño diccionario

abrazar *to hug*

buenas noticias *good news*

comenzar(ie) *to begin*

comprender *to understand*

conseguir(i) *to get*

costar(ue) mucho *to be very difficult*

deseo *desire*

diciéndome *telling me*

empleo *job*

estar tranquilo *to relax*

llorar *to cry*

marcharse *to leave, to go away*

nudo *knot*

olvidar *to forget*

preocupar *to worry*

sonreír(i) *to smile*

sonrisa *a smile*

traer *to bring*

venir *to come back*

Actividades

A Con lógica

Choose the word or phrase from Column B that would be best associated with each word or phrase from Column A.

Columna A	Columna B
_____ **1.** conseguir empleo	**a.** nudo en la garganta
_____ **2.** sonreír	**b.** estar tranquilo
_____ **3.** llorar	**c.** regresar
_____ **4.** venir	**d.** costar mucho
_____ **5.** buenas noticias	**e.** sonrisa

B Palabras opuestas

Write a word or phrase that is opposite in meaning to these words. Use words from **Mi pequeño diccionario** or words you already know.

1. llorar _____

2. marcharse _____

3. preocupar _____

4. costar mucho _____

5. olvidar _____

6. terminar _____

Estrategia para leer

Antes de leer

Making inferences Inferring is drawing conclusions based on evidence that is only hinted at, or implied, in what you read. To make inferences, think of the information provided by the author and connect it with your own knowledge and experience. Then draw conclusions based on a combination of the two.

Practica la estrategia

A Por lo tanto

Read the questions, then read the text extracted from the story, **El texto dice.** In **Yo digo,** say what you think the text means based on your own knowledge and experience. In **Por lo tanto,** draw a conclusion. Answer the question based on a combination of what the text says and what you think.

¿Qué crees que la abuela le dice al niño?

El texto dice:	**Yo digo:**
1. "Sé que dice esto para verme feliz, porque me paso mucho rato mirando tu fotografía y a veces los ojos se me llenan de lágrimas."	**Por lo tanto:**

¿Por qué crees que el niño parece un niño viejo?

El texto dice:	**Yo digo:**
2. "Se pasa todo el día diciéndome que me divierta, que salga[1] con los amigos, pero yo no siento deseos de hacerlo."	**Por lo tanto:**

¿Qué es lo que el niño quiere realmente?

El texto dice:	**Yo digo:**
3. "Quiero que me traigas[2] una sonrisa. Estoy cansado de que me digan[3] que no parezco feliz, sólo porque no sé sonreír."	**Por lo tanto:**

---

1. **diciéndome que me divierta, que salga** telling me to have a good time, to go out 2. **que me traigas** for you to bring me 3. **de que me digan** of people telling me

Para empezar...
How would you feel if your mother had to be away for a long time?

_____

_____

Acuérdate

Remember that the present progressive is used to say that something is happening right now.

El niño **está llorando.**

You can also use the present progressive with verbs like **pasar,** to say that something keeps on happening.

A. Subraya

What does the little boy keep on doing? And the grandmother? Find the answers in the letter and underline them.

B. Contesta

Choose the best words to complete each statement.

1. El niño se siente...

   a. feliz.   **b.** triste.

2. El niño no tiene deseos de...

   a. divertirse.   **b.** marcharse.

3. El niño quiere que su mamá le traiga...

   a. una sonrisa. **b.** una lágrima.

C. Explica

Did you draw accurate conclusions in **Antes de leer, Por lo tanto?** Explain why or why not.

_____

_____

El regalo de cumpleaños

Diógenes Valdez is a Dominican author who has written many acclaimed novels and short stories. In this story, the mother of David, a young Dominican, has spent years working in New York. In a letter to his mother, David tells her that everyone thinks that he should have more fun, that it is not good to be so sad, and that he must learn to smile. Read his mother's response and discover what the best gift is that she can give him.

1. me ha dicho has told me   **2. vendrás** you will come   **3. se me llenan de lágrimas** fill with tears   **4. Ha llegado a decirme** She has even told me

Querida mamá:

La abuela me ha dicho[1] que vendrás[2] pronto. Sé que dice esto para verme feliz, porque me paso mucho rato mirando tu fotografía y a veces los ojos se me llenan de lágrimas[3].

Comprendo que te fuiste a Nueva York a trabajar porque aquí cuesta mucho conseguir un empleo.

En casa todos estamos bien, únicamente me preocupa la abuela. Se pasa todo el día diciéndome que me divierta, que salga con los amigos, pero yo no siento deseos de hacerlo. Ha llegado a decirme[4] que hace tiempo que no me ve sonreír, que parezco un niño viejo.

Sé que Nueva York es una gran ciudad y que allá se consigue de todo. Quiero que me traigas una sonrisa. Estoy cansado de que me digan que no parezco feliz, sólo porque no sé sonreír.

Te quiere, tu hijo
David

La República Dominicana

Querido hijo:

Creo que tengo buenas noticias para ti.

Voy a regresar pronto y aunque me pides

algo que es difícil de conseguir, voy a

hacer todo lo posible para complacerte[1].

Sé que costará mucho el conseguir esa

sonrisa, pero puedes estar tranquilo.

Espero estar contigo el mismo día

de tu cumpleaños.

Tu madre que no te olvida,

Rebeca

---

1. **complacerte** to make you happy

A. Ponle color

Find and highlight in the letter four things the mother is planning to do to make her son happy. Which ones do you thing will make him the happiest?

1. _____

2. _____

B. Contesta

Write **c) cierto** or **f) falso**, based on the letter on this page. Correct the statements that are false.

_____ **1.** El niño sabe que Nueva York es grande.

_____

_____ **2.** La madre tiene buenas noticias para su hijo.

_____

_____ **3.** La madre va a quedarse en Nueva York.

_____

_____ **4.** Lo que el niño quiere es fácil de conseguir.

_____

_____ **5.** La madre va a venir para el cumpleaños del niño.

_____

C. Infiere

How do you think the mother feels? Give examples from the text to support your opinion.

_____

_____

_____

Cultura hispana 141

A. Ponle color

Higlight four words or phrases that express feelings or emotions. Then, use some of those expressions to say how you would feel if you were seeing your mother for the first time in several years.

_____

_____

_____

_____

B. Contesta

Choose the words that best complete each statement.

1. Hoy es el cumpleaños de…

   a. la madre.   b. David.

2. Mientras espera a su madre en el aeropuerto, él está…

   a. nervioso.   b. tranquilo.

3. Cuando David ve a su madre…

   a. tiene un nudo en la garganta.
   b. tiene lágrimas en sus ojos.

4. Cuando la madre ve a David…

   a. le da un regalo.
   b. lo abraza.

C. Predice

What do you think David will find in the carefully wrapped little package?

_____

_____

_____

_____

Hoy es sábado 15 de agosto. Es el día del cumpleaños de David. En el aeropuerto, el niño mira los aviones[1] que despegan o aterrizan[2]. No se siente nervioso, ni emocionado. Contempla a su madre y tiene la esperanza[3] de que en la cartera[4], envuelta primorosamente[5], venga esa sonrisa. La ve salir y un nudo se le forma en la garganta. Ella corre a abrazarlo y por un momento David se olvida de todo.

¡Mamá!—exclama David.

¡Hijo mío! —responde la madre.

¿Has traído[6] mi sonrisa? —se atreve[7] a preguntarle.

Ella abre la cartera y le entrega un paquetito primorosamente envuelto.

¡Aquí está!—le dice—¡Ábrelo!

1. **aviones** airplanes   2. **despegan o aterrizan** take off or land   3. **esperanza** hope
4. **cartera** purse   5. **envuelta primorosamente** carefully wrapped   6. **¿Has traído …?**
Have you brought …?   7. **se atreve** he dares

David lo toma entre sus manos temblorosas[1] y con los ojos llenos de lágrimas, responde:

¡Tengo miedo de hacerlo!

David comienza a abrir el pequeño paquete. Las manos le tiemblan[2] cuando le quita la envoltura[3]. Abre la cajita, pero dentro tan sólo hay un papelito cuidadosamente doblado. Lo abre y lee:

Querido hijo:

Mamá ha venido[4] a quedarse definitivamente.
Ya nunca más volverá a marcharse[5].

Entonces David abrió los ojos y abrazó a su madre nuevamente. Sin darse cuenta[6] comenzó a sonreír.

....
1. temblorosas shaking   **2. le tiemblan** they tremble   **3. le quita la envoltura** takes off the wrapping   **4. ha venido** has come   **5. nunca más volverá a marcharse** she will never go away again   **6. Sin darse cuenta** Without realizing it

A. Ponle color
Higlight four words or phrases on this page that express feelings or emotions. Then list them under the correct headings below.

Happy feelings:

1. _____

2. _____

Sad feelings:

1. _____

2. _____

B. Contesta
Answer the following questions.

1. ¿Qué siente David antes de abrir el paquete?

_____

2. ¿Qué hay dentro del paquete?

_____

3. ¿Qué dice el papelito?

_____

4. ¿Cómo reacciona David al leer el papelito?

_____

C. ¡Exprésate!
¿Te gustó el cuento? ¿Por qué sí o por qué no?

_____

_____

_____

_____

Después de leer

A En contexto

Choose the words that best complete each sentence.

1. David vive en…
   a. Nueva York.
   b. la República Dominicana.
   c. Puerto Rico.

2. La mamá de David vive en…
   a. Nueva York.
   b. la República Dominicana.
   c. Puerto Rico.

3. La mamá de David se fue a Nueva York a…
   a. divertirse.
   b. comprar regalos.
   c. conseguir un empleo.

4. La abuela de David se preocupa porque…
   a. él siempre está llorando.
   b. él nunca sonríe.
   c. él está siempre cansado.

5. La mamá de David va a tratar de…
   a. hacer lo que David quiere.
   b. estar con él en su cumpleaños.
   c. comprarle un regalo.

6. Cuando David ve a su madre, se le forma… en la garganta.
   a. un deseo
   b. una lágrima
   c. un nudo

B En resumen

Choose the words that best complete the paragraph about **Regalo de cumpleaños**. Conjugate the verbs as needed to make the sentences grammatically correct.

sonrisa	comprender	marcharse	conseguir	abrazar

David, le escribe una carta a su madre y le dice que él **1.** _____

que ella está en Nueva York porque en la República Dominicana, es difícil

2. _____ un empleo. Le dice que quiere una **3.** _____

de regalo porque está cansado de no estar feliz.

La mamá de David vuelve para su cumpleaños.

En el aeropuerto, ella **4.** _____ a

su hijo y le da el regalo prometido: un papelito

que dice que su mamá nunca más volverá a

5. _____ y que lo hace sonreír.

C ¡Piénsalo bien!

Answer the following questions. Whenever possible, give examples from the text to support your opinion.

1. How do you think David's mother felt when she received his letter? Did it have a major impact on her? How do you know?

   _____

   _____

2. Is this a memorable birthday for David? Will he remember it as one of the biggest celebrations of his life? Why do you think so?

   _____

   _____

3. What do you know from the culture and life in the Dominican Republic or any other Latin American country that would help explain the reasons why David's mother was living in New York?

   _____

   _____

D ¡Exprésate!

You can also bring a smile to someone's face. Write a *Thinking of You* card to a friend or relative you care about. Write to someone who may be going through a rough time, someone you miss, or even someone you might have had a disagreement with. Explain how you feel in as much detail as you can, and how much that person means to you. This will make that person very happy… and you too!

¡Pensando en ti!

Querido (a)...

_____

_____

_____

_____

Recuerdos,

_____

E Un poco más

Have a classmate or your teacher edit your card. Make all the corrections needed and write it again on nice stationery. Then, mail it or give it to the person you intended it for. **¡Una sonrisa de verdad!**

Capítulo 10

Cuentos y cultura

In **Cuéntame un cuento** Eva and Daniel are losing hope of ever meeting each other! In **Cultura hispana** you will learn about some interesting legends from the Spanish-speaking world and you will read a legend about a great Incan warrior.

Cuéntame un cuento

¡Un amor de leyenda!

Cultura hispana

ATHABALIBA

Ollantaytambo

Perú

¡Un amor de leyenda!

Prepárate: vocabulario

Before you read ¡Un amor de leyenda!, review some words you already know in ¡Ya sé...! and study the new words in **Mi pequeño diccionario**. Then, do the activities that follow. Knowing these words will help you understand the reading.

¡Ya sé...!

boleto de avión *airplane ticket*

control de seguridad *security checkpoint*

desembarcar *to disembark, to deplane*

encontrarse(ue) en línea *to meet on line*

esperar *to wait*

hacer un viaje *to take a trip*

pasajero(a) *passenger*

perder(ie) *to lose*

sacar fotos *to take photographs*

Mi pequeño diccionario

animarse *to cheer yourself up*

destino *destiny*

esperanza *hope*

estar desesperado(a) *to be desperate*

estar loco(a) por *to be dying to, to be keen on*

hacer un esfuerzo *to make an effort*

intercambiar *to exchange*

prohibir *to prohibit*

tener fé *to have faith*

Actividades

A De viaje

Complete the chart with words from ¡Ya sé...!, that are related to traveling.

Palabras relacionadas con los viajes	
1.	4.
2.	5.
3.	6.

B Empareja

Choose the definitions from Column B that best match each word from Column A.

Columna A	Columna B
_____ 1. tener esperanza	a. creer en algo que no tiene explicación
_____ 2. tener fé	b. alegrarse
_____ 3. desesperado	c. pensar que todo va a salir bien
_____ 4. encontrarse en línea	d. tratar de nuevo
_____ 5. hacer un esfuerzo	e. muy preocupado
_____ 6. animarse	f. hacer contacto

C Consejos para vivir feliz

Choose the words that best complete each sentence according to the context.

1. Si estás triste y desesperado, debes _____ (animarte/esperar).

2. A veces cuesta hacer un _____ (viaje/esfuerzo) pero es importante hacerlo.

3. Recuerda que si _____ (tienes fé/estás loco) las cosas salen bien.

4. Nunca pierdas _____ (el boleto/la esperanza).

5. Cree en las cosas positivas _____ del (destino/misterio).

Nosotros hicimos un viaje a Perú.

💡 Acuérdate de la gramática

You have learned to use **the preterite** of **-ar**, **-er**, and **-ir** verbs, as well as some irregular verbs.

	-ar verbs	-er verbs	-ir verbs
yo	dejé	perdí	abrí
tú	dejaste	perdiste	abriste
Ud., él, ella	dejó	perdió	abrió
nosotros(as)	dejamos	perdimos	abrimos
vosotros(as)	dejasteis	perdisteis	abristeis
Uds., ellos, ellas	dejaron	perdieron	abrieron

hacer: hice, hiciste, hizo, hicimos, hicisteis, hicieron
ir: fui, fuiste, fue, fuimos, fuisteis, fueron

D Un viaje a todo dar

Choose and conjugate the verbs from the box that best complete each sentence.

tener	sacar	perder	abordar	hacer	desembarcar	ir

1. Mi hermano _____ un viaje a Perú con los estudiantes de su colegio.

2. Todos _____ el avión en Nueva York y _____ en Lima.

3. Ellos _____ que esperar mucho tiempo en el control de seguridad.

4. Uno de los estudiantes _____ su computadora.

5. Al otro día, todos _____ a las ruinas de Machu Picchu.

6. Dicen que _____ fotografías increíbles. Tengo que verlas.

Estrategia para leer

Summarizing A summary is a short restatement of the main events and essential ideas of a text. When readers summarize, they try to present a complete picture of the text using only a few words. Sumarizing helps readers remember what they have read.

Practica la estrategia

A Cuéntame un cuento

You have read most of **Cuéntame un cuento**, a story about the Spanish Club members and their friends. How do you think the story will end? Write some notes about the different characters, the things that have happened, the places where the action has taken place and the conflicts that have surfaced so far. When you are done with the reading, you will use these notes to write your own summary of the story.

Mis apuntes:

Cuéntame un cuento

Personajes:

Lugares:

Conflictos:

Mi predicción

¡Un amor de leyenda!

Eva y Daniel no se conocen en la vida real. Viven en la misma ciudad pero no van al mismo colegio. Varias veces están en el mismo lugar, pero parece que no está en su destino conocerse. ¿Por qué no intercambian[1] sus números de teléfono? Un poquito, porque les gusta el misterio... o porque les parece romántico... La verdad es que sus padres les prohíben[2] dar sus números de teléfono por la Web. Sólo pueden esperar y tener fé en el destino.

1. **intercambian** exchange   2. **les prohíben** they prohibit them

Después del Día de los Enamorados, Daniel va de viaje al Perú con un grupo de estudiantes de su colegio. No le dice nada a Eva porque piensa escribirle e-mails desde allá. Más tarde se da cuenta que dejó su computadora en el avión. No puede comunicarse con Eva ¡Está desesperado! Cuando regresa, busca un café de Internet en el centro. Está loco por mandarle un correo.

Ese mismo día, Eva está muy triste porque no tiene noticias de Daniel. Para animarse un poquito, decide ir a un café de Internet para escribir e-mails y trabajar en su página Web. Quiere olvidarse de Daniel porque parece que él ya no quiere comunicarse con ella.

Aunque ninguno de los dos tiene mucha esperanza de encontrarse en línea, deciden hacer un último esfuerzo. Daniel es el primero en mandar un mensaje instantáneo.

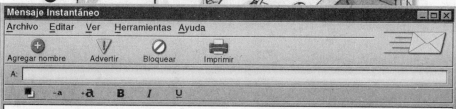

Mensaje Instantáneo

Archivo   Editar   Ver   Herramientas   Ayuda

Agregar nombre   Advertir   Bloquear   Imprimir

A:

-a   +a   **B**   *I*   U

DanielS: ¡Hola, Eva!

EvaC: ¡Hola, Daniel! ¡Qué sorpresa!

DanielS: ¡Qué gusto encontrarte aquí! Me tienes que perdonar, Eva. Es que hice un viaje al Perú con mi clase del colegio…

EvaC: ¿De veras? ¿Al Perú? ¿Por qué no me dijiste[1]?

DanielS: Pensé mandarte e-mails desde allá, pero ¡dejé mi computadora en el avión!

EvaC: ¿Perdiste la computadora? Pobre Daniel.

DanielS: Sí, desembarqué sin ella. Hablé con el agente. Parece que un pasajero en Lima dejó una computadora en el control de seguridad.

EvaC: ¡Ah, tuviste suerte!

DanielS: Y tú, ¿qué hiciste este fin de semana?

EvaC: Conseguí un boleto de avión.

DanielS: ¿Ah, sí? ¿Adónde vas?

EvaC: A Morelia, mi viejo pueblo en México. Voy a visitar a mi familia.

DanielS: ¡Qué fantástico! Me gustaría conocer Morelia. Espero viajar allí algún día.

EvaC: Es una ciudad muy bonita. Pienso sacar muchas fotos. Te mando unas por correo electrónico.

DanielS: ¡Qué bien! Las puedo poner en mi blog.

EvaC: Perdóname, Daniel pero tengo que irme. Tengo que ir a una fiesta esta noche.

DanielS: Está bien. Escríbeme después, ¿sí?

EvaC: ¡Sí! No te preocupes ¡Adiós!

Enviar

---

1. ¿Por qué no me dijiste? Why didn't you tell me?

Cuéntame un cuento   151

Mientras lees

A. Haz una lista
Highlight seven sentences where the preterite is used to describe what happened at specific moments. List three verbs that say what happened to Daniel.

1. _____

2. _____

3. _____

B. Contesta
Choose the words that best complete each sentence.

1. Daniel y Eva están…
   a. en un café de Internet.
   b. en casa.

2. Se comunican por…
   a. teléfono
   b. mensaje instantáneo.

3. Daniel le pide perdón a Eva…
   a. por no comunicarse con ella.
   b. por perder su computadora.

4. Eva consiguió… para ir a Morelia, México.
   a. un boleto de avión
   b. una tarjeta de embarque

C. Infiere
Do you think Eva is feeling better? Why or why not?

_____

_____

_____

_____

A. Subraya

Underline all the verbs that are in preterite and write their infinitives here.

_____

_____

_____

_____

B. Contesta

Choose the best answer for each question.

1. ¿Quién está estudiando en un programa de intercambio?

   a. Graciela   **b.** Pilar

2. ¿A quién le gustó mucho España?

   a. a Graciela   **b.** a Ana

3. ¿Adónde fueron los chicos al día siguiente?

   a. a una fiesta
   b. al parque de diversiones

4. ¿Qué aprendieron los chicos?

   a. una lección importante
   b. cómo hablar español

C. ¡Exprésate!

Write your reaction to the end of the story.

_____

_____

_____

_____

5
Eva ¡Qué sorpresa! No lo puedo creer

Yo tampoco. Pensé que nunca nos íbamos[1] a conocer.

6
Oye, hay una celebración en el club de español. ¿Quieres acompañarme?

¡Me encantaría!

---

1. nunca nos íbamos that we were never going to

7
Ahora... ¿Quién va a ser la próxima en viajar a España? ¿Eva?

¡A mí me encantó España!

¡Yo no... todavía no!

¡Y yo estoy feliz de estar en el programa de intercambio!

8

9

Al siguiente día, los chicos aprendieron una gran lección: La vida en el ciberespacio no se compara con la vida en el mundo real.

Después de leer

A En contexto

Choose the word or words that best answer each question.

1. ¿Qué le pasa a Daniel en el Perú?

   a. Pierde su pasaporte.
   b. Olvida el correo electrónico de Eva.
   c. Pierde su computadora.

2. ¿Qué piensa Eva cuando no oye de Daniel?

   a. Que él ya no quiere comunicarse con ella.
   b. Que él está de viaje.
   c. Que él es un muchacho sin corazón.

3. ¿Qué hace Daniel inmediatamente al regresar de Perú?

   a. Va a la casa de Eva.
   b. Va al Club de Español.
   c. Va a un café de Internet.

4. ¿Por qué va Eva al mismo café?

   a. Para usar la computadora.
   b. Para animarse un poco.
   c. Para tomar café.

5. ¿Qué compró Eva ese fin de semana?

   a. Un boleto de avión a Madrid, España.
   b. Un boleto de avión a Lima, Perú.
   c. Un boleto de avión a Morelia, México.

6. ¿Qué le va a mandar Eva a Daniel?

   a. Unas fotos de su ciudad.
   b. Unas tarjetas postales.
   c. su nueva dirección de e-mail

B En resumen

Now use your notes from **Estrategia para leer** and write your own summary of **Cuéntame un cuento.**

El fin

¡Piénsalo bien!
Answer the following questions.

1. Was the end of the story **Cuéntame un cuento**, what you expected. Why or why not?

_____

_____

2. How do you interpret the title **Un amor de leyenda** in the context of the story?

_____

_____

3. If you could write a different ending for the story, what would it be?

_____

_____

D **¡Exprésate!**
You are going to write your own modern legend in **Un poco más,** but first, come up with the characters and their descriptions. Come up with a conflict between the main characters and a few interesting events and think of an ending **¡A todo dar!**

Personajes y características:

_____

_____

_____

Conflicto central:

_____

_____

_____

Eventos:

_____

_____

_____

WICKED

La historia detrás de la leyenda del Mago de Oz.

E **Un poco más**
Now, use your notes and write your legend. Make sure to include mystery, romance and a happy ending.

Leyendas: Stories that Explain the Inexplicable

A legend is a popular myth from the past which is usually not verifiable. People all over the world tell legends that describe things in their surroundings or events in their histories which might seem unexplainable. Legends are not written by one specific author; they are told and retold until they become part of the collective memory of a people.

There are many types of legends. Some legends are about how nature came to be, for example, how the sun was born, or how a leopard got its spots. There are legends about true love; about how ghosts protect their buried treasures; about how good always triumphs over evil.

▲ El Dorado *(The golden man)*

From the **Muisca** tribes in Colombia, we get the legend of **El Dorado** *(the golden man)*. A fabulously wealthy kingdom is described in which the leader of the tribe bathes in gold before submerging into a lake. This legend motivated the exploration and conquest of the Colombian territories in the 1530s.

From Mexico, we get the legend of the mountains Popocatépetl and Iztaccíhuatl. Popocatépetl was an Aztec warrior who fell in love with Iztaccíhuatl, the daughter of a tribal chief. Popo must conquer an enemy tribe in order to win her hand in marriage. Although he succeeds, Iztaccíhuatl dies of grief waiting for his return. Popo carries her body to the top of a mountain where she assumes the position of a "sleeping woman", which is what her name means in Nahuatl, the ancient language of the Aztecs. Popocatépetl, which means "smoking mountain", lights a torch and stands watch over his beloved, which explains the smoke that comes out of the mountain named after him.

From the Popol Vuh, the "bible" of the Maya-quiché, we get the legend of the four creations of the world. In the third creation, the hero twins Yax Balam and Hun Ahau have to battle the gods of death in Xibalbá, the Underworld. When the twins conquer the gods and arise from Xibalbá, one becomes the sun and the other, the moon.

▲ Popocatépetl and Iztaccíhuatl

Legends are a beautiful form of storytelling that satisfy our human need to make sense of the mysterious world around us.

¡Exprésate!

1. Why do you think legends are passed on from generation to generation?

_____

_____

2. Who is Popocatépetl? Who is Iztaccíhuatl?

_____

_____

▲ Las cuatro creaciones del mundo

Ollantaytambo
Prepárate: vocabulario

Before you read **Ollantaytambo,** study the words in **Mi pequeño diccionario** and do the activities that follow. Knowing these words will help you understand the reading.

Mi pequeño diccionario

casarse *to get married*

casco de oro *golden helmet*

castigar *to punish*

combates *battles, combats*

conquistar *to conquer*

convertirse(ie) *to become*

cueva *cave*

encerrar(ie) *to lock up*

enojarse *to get angry*

enterarse *to find out*

fortaleza *fortress*

guerrero *warrior*

justo(a) *fair, just*

lejano(a) *far away*

malvado(a) *evil*

piedra *rock*

princesa *princess*

riquezas *riches*

selva *jungle*

valiente *brave, valiant*

venganza *vengeance, revenge*

Actividades

A La palabra intrusa

Choose the word that does not belong in each series.

1. casarse, princesa, riqueza, venganza

2. justo, malvado, valiente, guerrero

3. cueva, selva, fortaleza, casco de oro

4. conquistar, castigar, casarse, encerrar

5. piedra, cueva, encerrar, descendientes

B Leyendas

Choose the word that best completes each sentence. Change the words, as needed, to make the sentences grammatically correct.

1. Las princesas viven en castillos llenos de _____.

2. Los castillos muchas veces son grandes _____.

3. Los guerreros pueden ser_____ o _____.

4. Los guerreros _____ territorios.

5. Los guerreros malvados buscan _____.

> **fortaleza**
> **justo**
> **riqueza**
> **malvado**
> **conquistar**
> **venganza**

Estrategia para leer

Antes de leer

Predictions Making predictions based on what you know helps you prepare to read a passage. Read the first three lines of text and, thinking about legends that you know, try to guess what is going to happen in this Inca legend.

Practica la estrategia

A **Predicciones**

Read the first three lines of the legend extracted here. Then, write down five things you know about legends in general and make a prediction based on what you know and what you read about Ollantayambo.

> **de Ollantaytambo:**
> *"Ollantay es el mejor guerrero del imperio inca. Conquista regiones de la selva y lleva riquezas al Inca Pachacútec."*

Lo que ya sé de leyendas:

1. los conflictos: _____

2. el amor: _____

3. los combates: _____

4. los buenos contra los malvados: _____

5. el final: _____

Mi predicción:

_____

_____

_____

_____

_____

Ollantaytambo

Para empezar...
Do you know of any legends where good wins over evil? Name one.

_____

_____

A. Subraya

Underline all words on this page that relate to good and evil. Then mark these characters either **bueno o malvado**.

1. Pachacútec _____

2. Rumiñahui _____

3. Tupac Yupanqui _____

B. Contesta

Choose the words that best complete each statement.

1. Ollantay es… inca.

   a. un guerrero b. un rey

2. Su casco de oro indica que es…

   a. el más justo.
   b. el más valiente.

3. Pachacútec no permite el amor entre la princesa y…

   a. Ollantay.   b. Rumiñaui.

4. Pachacútec encierra a… en una cueva.

   a. Cusi Coyllur b. Ollantay

C. Explica

Does the legend have a happy ending? Give examples from the text that support your answer.

_____

_____

_____

The Incan warrior Ollantay was made immortal thanks to the famous Peruvian writer Juan Espinoza Medrano, who wrote the drama *Ollantay* during the colonial period. Many years later, in 1780, the story was presented to the public with great success. Read about the Incan people and this famous warrior for whom the legend is named.

Ollantay es el mejor guerrero del imperio inca. Conquista regiones de la selva y lleva riquezas al Inca Pachacútec.

Su casco de oro[1] le distingue como el más valiente. Todos lo admiran pero su corazón es de la princesa Cusi Coyllur.

Cuando Pachacútec se entera[2] del amor entre el guerrero y la princesa se pone rojo de ira[3]. Castiga a Ollantay y encierra a la princesa en una cueva.

Un día Ollantay se escapa y se convierte en jefe de los pueblos de los Andes. Gana[4] todos los combates contra Rumiñahui, el general de Pachacútec.

Rumiñahui busca venganza. Durante una fiesta emborracha[5] a los hombres de Ollantay y los hace prisioneros. El guerrero está ahora en manos del malvado Rumiñahui.

Pero en Cuzco hay un nuevo Inca, Tupac Yupanqui. Tupac es bueno y justo. Cusi Coyllur y Ollantay se casan al fin y viven en Tambo, una magnífica ciudad de piedra, levantada[6] al pie de la selva.

---

1. casco de oro golden helmet **2. se entera** he learns of **3. se pone rojo de ira** he turns red with anger **4. Gana** He wins **5. emborracha** he intoxicates **6. levantada** raised

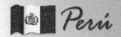
Perú

Datos geográficos

Ollantaytambo es un pueblo de la provincia de Urubamba, muy cerca de las famosas ruinas de Machu Picchu, al sur de Perú. En este pueblo todo ha permanecido[1] intacto y en sus casas siguen viviendo[2] los descendientes de sus primeros ocupantes. Allí se encuentra una antigua fortaleza inca, uno de los mejores ejemplos de la asombrosa[3] arquitectura de esta civilización. Muchas de las piedras en su construcción, de más de 96 toneladas[4], fueron transportadas desde lugares lejanos, pero aún no se sabe cómo.

1. **ha permanecido** has remained   2. **siguen viviendo** continue to live   3. **asombrosa** astonishing   4. **toneladas** tons

Mientras lees

A. Haz una lista
List five words on this page that describe **Ollantaytambo**. Then, read the paragraph again and answer the questions in part B.

1. _____

2. _____

3. _____

4. _____

5. _____

B. Contesta
Answer the following questions.

1. ¿Qué es Ollantaytambo?

_____

2. ¿Dónde está Ollantaytambo?

_____

3. ¿Quién vive en Ollantaytambo?

_____

4. ¿Qué se encuentra en Ollantaytambo?

_____

5. ¿Qué misterio hay en la construcción de la fortaleza inca?

_____

C. ¡Exprésate!
¿Qué piensas de la antigua fortaleza de Ollantaytambo? ¿Te interesa? ¿Por qué sí o por qué no?

_____

_____

Cultura hispana   159

Después de leer

A En contexto

Choose the best phrase to complete each statement.

1. Ollantay está enamorado de...

   a. las riquezas de la selva.
   b. la princesa Cosi Coyllur.
   c. la esposa de Pachacútec.

2. Pachacútec se enoja porque...

   a. Ollantay ama a la princesa.
   b. Ollantay es malvado.
   c. Ollantay le roba las riquezas.

3. Pachacútec castiga a Ollantay y encierra a la princesa en...

   a. una fortaleza de piedra.
   b. en un pueblo de los Andes.
   c. en una cueva.

4. Rumiñahui... a los hombres de Ollantay.

   a. mata (kills)
   b. hace prisioneros
   c. castiga

5. El nuevo Inca, Tupac Yupanqui...

   a. es bueno y justo.
   b. vive en una fortaleza de piedra.
   c. se convierte en general de Pachacútec.

6. Cusi Coyllur y Ollantay se casan y viven en... al pie de la selva.

   a. una ciudad de piedra
   b. un pueblo español
   c. una fortaleza de oro

B En resumen

Use the words given below and any other words you know to write a summary of **Ollantaytambo**.

combate	guerrero	encerrar	valiente	justo
malvado	casarse	casco de oro	piedra	lejano

_____

_____

_____

_____

_____

_____

_____

_____

_____

_____

_____

C **¡Piénsalo bien!**
Answer the following questions.

1. Do you think legends are a useful way to tell stories about the past? Why or why not?

_____

_____

2. What purpose do you think the legend of *Ollantay* served for the people of **Ollantaytambo**?

_____

_____

3. Is the legend of *Ollantay* like any of the types of legends mentioned in **Cultura hispana**? Which type?

_____

_____

D **¡Exprésate!**
In **Un poco más,** you are going to write a legend. First, create a hero, a villain, a love interest, a conflict and a happy ending.

El héroe: _____

_____

El malvado: _____

_____

La princesa: _____

_____

El conflicto: _____

_____

El fin: _____

_____

E **Un poco más**
Write a legend about you how your town came to be. Use the characters and plot devices you came up with in **¡Exprésate!** Try to use real images from your town that make the story seem believable. Remember, it should have a happy ending! It should also have some type of underyling moral of the story, or explanation of a natural element in your surroundings.

Glosario

A

a *as, to, in order to;* **a la misma hora** *at the same time;* **a la parrilla** *on the grill;* **a la vez** *at the same time;* **¿A qué hora?** *At what time?;* **a tiempo** *on time;* **a toda costa** *no matter what;* **a todas partes** *everywhere;* **a través de** *by means of;* **a veces** *sometimes*

abrazar *to hug;* **abrazarlo** *to hug him*

abril *April*

abrir *to open;* **está abierto** *it is open*

la **abuelita** *grandmother*

el **abuelo** *grandfather*

los **abuelos** *grandparents*

aburrido/a *boring, bored*

acariciar *to caress;* **acaricio** *I caress;* **acaricio el suelo** *I touch the ground*

acentuar *to highlight;* **para acentuar** *to highlight*

acerca de *about*

acordarse(ue) *to remember;* **acuérdate** *(you) remember*

la **actividad** *activity*

activo/a *active*

actualizar *to bring up to date*

adelante *forward*

además *besides*

Adiós *Goodbye*

la **adivinanza** *riddle*

admirar *to admire;* **admiran** *they admire*

¿Adónde? *Where?*

los **adultos** *adults*

el **aeropuerto** *airport*

afuera *outside*

el **agua** *water*

los **aguinaldos** *Christmas gifts*

ahora *now*

al *to, to the, upon;* **al fin** *at last;* **al igual que** *same as;* **al lado de** *next to;* **al mismo tiempo** *at the same time;* **al pie de** *at the foot of;* **al principio** *at the beginning;* **al ver** *when they see*

algunos/as *some*

allá *over there*

allí *there*

almorzar(ue) *to have lunch*

el **almuerzo** *lunch*

alrededor *around*

alto/a *tall*

amarillo/a *yellow*

los **amigos** *friends;* **el mejor amigo** *best friend*

el **amor** *love*

añadir *to add*

analizar *to analyze;* **analiza** *you analyze*

anaranjado/a *orange*

andar *to walk*

el **año** *year*

los **antepasados** *ancestors*

antes *before;* **antes del** *before the*

antiguo/a *ancient*

antipático/a *unpleasant*

la **apariencia física** *physical appearance*

el **apartamento** *apartment*

los **apuntes** *notes*

aquellos/as *those*

aquí *here;* **aquí y ahora** *here and now*

el **archivo** *file*

las **arepas** *cornmeal griddlecakes*

el **arroz** *rice;* **los arroces** *rice dishes*

la **artesanía** *crafts*

el **artículo** *article*

el **artista,** la **artista** *artist*

asegurar *to assure*

así *that way, so*

asombroso/a *astonishing*

aterrizar *to land;* **aterrizan** *they land*

atlético/a *athletic*

atrás *back*

atreverse a *to dare*

el **auditorio** *auditorium*

aun *even*

aún *yet, still*

aunque *even though, although*

la **avenida** *avenue*

las **aventuras** *adventures*

los **aviones** *airplanes*

la **ayuda** *help*

ayudar *to help;* **ayudan** *they help;* **estamos ayudando** *we are helping*

el **azúcar** *sugar*

azul *blue*

B

---

bailar *to dance;* **baila** *he/she dances;* **bailan** *they dance*

el **baile** *dance*

bajar *to come down;* **baja** *he/she/it comes down*

el **bajo** *bass*

bajo/a *short*

el **barrio** *neighborhood*

básico/a *basic*

la **batalla** *battle*

el **bebé** *baby*

la **beca** *scholarship*

las **bellas artes** *fine arts*

la **belleza** *beauty*

el **beneficio** *benefit;* **en beneficio de** *benefitting*

bien *good, well*

la **boca** *mouth*

los **brazos** *arms*

bueno/a *good;* **buenas noticias** *good news;* **los buenos contra los malvados** *good (characters) against evil ones*

buscar *to look for, to seek*

 C

---

el **caballero** *knight*

cada *each, every;* **cada noche** *every night*

el **café** *coffee*

la **caja** *box;* **la cajita** *little box*

la **calculadora** *calculator*

el **calendario** *calendar*

calentar(ie) *to heat up*

las **calificaciones** *grades*

callado/a *quiet*

calmado/a *calm*

cambiar *to change*

la **camisa** *shirt*

la **canción** *song*

canoso/a *gray-haired*

cansado/a *tired*

cantar *to sing;* **canta** *he/she/it sings;* **cantan** *they sing*

la **cantidad** *quantity*

los **cantos** *calls, songs*

la **cara** *face*

el **carácter** *character*

caribeño/a *Caribbean*

la **carne** *meat*

la **carta** *letter*

la **cartera** *purse*

la **casa** *house*

casarse *to get married;* **se casan** *they get married*

el **casco de oro** *golden helmet*

casi *almost;* **casi siempre** *almost always*

castaño *brown*

castigar *to punish;* **castiga** *he/she punishes*

los **castillos** *castles*

la **catarata** *waterfall*

catorce *fourteen*

la **celebración** *celebration*

la **cena** *supper*

cenar *to have dinner, to have supper*

el **centro** *center*

cerca *close;* **muy cerca** *very close*

cercanos/as *close;* **parientes cercanos** *close relatives*

cerrar *to close;* **estar cerrado** *to be closed*

el **cerro** *mountain*

el **cesto** *basket*

la **chica** *young girl*

el **chico** *young boy*

el **chile** *hot pepper*

el **cielo** *sky, heaven*

cien *hundred, a hundred*

cierto/a *true*

cinco *five*

el **círculo** *circle*

la **ciudad** *city*

los **clanes** *clans*

¡Claro que no! *No way!*

clavar (los ojos) *to fix (one's eyes);* **clavas** *you fix*

el **club** *club*

cocer(ue) *to cook*

la **cocina** *kitchen, cuisine, the cooking*

el **colegio** *school*

los **colores** *colors*

los **combates** *battles, combats*

el **comedor** *dining room*

comenzar(ie) *to begin;* **comenzó** *he/she/it began*

comer *to eat;* **comemos** *we eat*

comerciar *to trade*

cómico/a *funny*

la **comida** *food*

la **comida rápida** *fast food*

como *how, as, like;* **como puedes ver** *as you can see*

¿Cómo? *How?* **¿Cómo se llama?** *What's his/her name?;* **¿Cómo se siente?** *How does he/she feel?*

el **compañero**, la **compañera** *friend;* **compañero de clase** *classmate*

compartir *to share;* **comparto** *I share*

complacer *to make happy;* **complacerte** *to make you happy*

comprar *to buy*

comprender *to comprehend*

la **computación** *computer science*

la **computadora** *computer*

con *with;* **con frecuencia** *frequently;* **con la que crecí** *that I grew up with*

el **concierto** *concert*

el **concurso** *contest*

conectar *to connect;* **conéctate** *(You) connect*

los **conflictos** *conflicts*

el **conjunto** *band*

conocer *to meet (someone);* **conocerlo** *to meet him;* **conocí** *I met;* **que nunca conocí** *that I never met;* **no lo conoce** *he/she does not know him/her*

conquistar *to conquer;* **conquista** *he/she conquers*

conseguir(i) *to get;* **conseguir empleo** *to get a job*

constituir *to make up, to comprise;* **constituye** *he/she/it makes up*

la **construcción** *construction*

consumir *to consume;* **consume** *he/she/it consumes;* **consumidas** *consumed*

contactar *to contact;* **para contactarnos** *to contact us*

contar(ue) *to say, to tell;* **contarle** *to tell him/her;* **cuéntame** *tell me;* **cuéntame un cuento** *tell me a story;* **cuentan** *they tell;* **cuéntanos de**

ti *tell us about yourself*

contento/a *happy*

contigo *with you*

el **continente** *continent*

la **contradicción** *contradiction*

contrario/a *contrary*

la **contraseña** *password*

contribuir *to contribute;* **contribuya** *(You) contribute*

convertirse(ie) *to become;* **se convierte** *he/she/it becomes, turns into;* **se convirtió** *he/she/it became*

la **cooperativa de artesanos** *craftman's cooperative*

el **coquí** *small frog, national symbol of Puerto Rico*

el **corazón** *heart*

el **coro** *chorus*

el **correo electrónico** *e-mail address*

el **correo** *mail*

correr *to run*

corresponder *to fall to;* **le corresponde** *it falls to him*

las **corrientes** *currents*

cortar *to cut*

la **corte** *court*

las **cosas** *things*

costar(ue) *to cost;* **costará** *it will cost;* **costar mucho** *to be very difficult*

costoso/a *expensive*

creer *to believe;* **crees** *you believe*

la **criatura** *little one*

el **cual** *which*

cualquier/a *any*

cualquiera *whichever, whomever;* **cualquiera que tenga lazos de sangre con el difunto** *whomever is related to the deceased*

cuando *when*

¿Cuándo? *When?*

¿Cuántos/as? *How many?;* **¿Cuántos días...?** *How many days. . .?*

la **cuarta** *the fourth*

el **cuarto** *room*

cuatro *four*

el **cuento** *story*

la **cueva** *cave*

cuidadosamente *carefully*

cuidar *to take care;* **cuidar de** *to take care of*

cultivar *to grow, to cultivate*

la **cultura** *culture*

el **cumpleaños** *birthday*

el **curso** *grade (year)*

dar *to give;* **darse cuenta** *to be aware of*

¡Date prisa! *Hurry up! (You)*

los **datos** *data*

de *of, from in, by;* **de compras** *shopping;* **de día** *during the day;* **de memoria** *by memory;* **de moda** *in (fashion);* **de noche** *at night;* **de nuevo** *again;* **de verdad** *real*

deber *should, ought to;* **debe** *he/she should, must;* **debes hablar** *you should speak;*

los **deberes** *homework, obligations*

decir *to tell;* **diciéndome** *telling me;* **hasta se puede decir** *one could even say;* **me ha dicho** *he/she has told me;* **que me digan** *people telling me;* **Se dice** *It is said*

decorar *to decorate;* **decoran** *they decorate*

dedicados/as *dedicated to*

dedicar *to dedicate;* **es dedicada a** *it is dedicated to*

dejar *to leave;* **dejó** *he/she/it left*

del momento *of the moment*

delgado/a *thin*

delicioso/a *delicious*

los **demás** *the rest*

dentro *inside*

los **deportes** *sports*

los **deportistas** *sportsmen*

el **desayuno** *breakfast*

descansar *to rest*

los **descendientes** *descendants*

describir *to describe;* **describe** *he/she/it describes*

las **descripciones** *descriptions*

desde *since, from;* **¿Desde cuándo?** *Since when?;* **desde hace** *since*

desear *to wish, to desire;* **deseando** *wishing to, desiring to;* **deseo** *I wish, I desire*

el **deseo** *desire, wish*

la **desesperación** *desperation*

el **desierto** *desert*

despegar *to take off*

despertar(ie) *to awake;* **despierto** *I awake;* **estar despierto** *to be awake*

después *after, afterwards;* **después de todo...** *after all...*

destinar *to destine*

detener *to stop, to detain*

los días *days;* **algún día** *some day;* **Día de Acción de Gracias** *Thanksgiving;* **Día de los Muertos** *Day of the Dead;* **Día de Todos los Santos;** *All Saints' Day;* **todos los días** *every day*

dibujar *to draw*

el dibujo *drawing*

el diccionario *dictionary*

los dichos *proverbs, sayings*

diciembre *December*

dieciséis *sixteen*

diez *ten;* **a las diez** *at ten (o'clock)*

difícil *difficult, hard*

el difunto *the deceased*

el dinero *money*

la dirección *address*

los diseños *designs*

los disgustos *disagreements*

distinguir *to distinguish;* **distingue** *he/she/it distinguishes*

divertido/a *fun*

divertirse(ie) *to have a good time;* **que me divierta** *that I enjoy myself*

dividido/a *divided*

doblado/a *folded*

los documentos *documents*

el domingo *Sunday*

donde *where*

¿Dónde? *Where?;* **¿De dónde eres?** *Where are you from?*

dorado/a *golden*

dormir(ue) *to sleep;* **duermen** *they sleep;* **estar dormido** *to be asleep;* **se queda dormido** *he/she falls asleep*

las dos *two (o'clock)*

las dudas *doubts;* **sin duda** *without a doubt*

durante *during*

la edad *age;* **a la edad de** *at the age of;* **de más edad** *the oldest;*

la edición *edition*

el edificio *building;* **edificio de diez pisos** *ten story building*

la educación física *physical education*

el ejemplo *example;* **por ejemplo** *for example*

él *he*

el *the;* **"El peor intento es el que no se hace"** *"Nothing ventured, nothing gained"*

las elecciones *elections*

la electricidad *electricity*

electrónico/a *electronic*

emborrachar *to intoxicate;* **emborracha** *he/she intoxicates*

emitir *to emit;* **emiten** *they emit*

emocionado/a *emotional, excited*

la empanada *turnover pie or pastry*

empezar(ie) *to start, to begin;* **empezó** *he/she/it began;* **empieza** *he/she/it begins;* **estoy empezando** *I'm starting, I'm beginning;* **ya empezamos** *we already started*

el empleo *job*

en *on, in;* **en contexto** *in context;* **en español** *in Spanish;* **en forma de** *in the form of;* **en la actualidad** *today;* **en línea** *on line;* **en manos de** *in the hands of;* **en punto** *on the dot;* **en sustancia** *physically*

encantar *to like;* **me encanta(n)** *I like it (them) very much (I love it/them);* **¡Encantada!** *I'm delighted;* **les encanta(n)** *they love it (them)!*

encerrar(ie) *to lock up;* **encierra** *he/she locks up*

las **enchiladas** *corn pancake filled with meat, chicken, etc, and green or red pepper sauce*

encima *over, on top of*

encontrar(ue) *to find;* **encuentra** *he/she finds;* **encuentro** *I find;* **se encuentra** *it is found*

encontrarse *to meet;* **se encuentran** *they meet*

la **encuesta** *poll, survey*

enero *January*

la **enfermera, el enfermero** *nurse*

la **enfermería** *nursing*

enfrente de *in front of*

enojarse *to get angry;* **está enojado/a** *he/she is angry, upset*

enrolladas, cubiertas y listas *rolled, covered and ready*

enseñar *to teach*

enterarse *to find out;* **se entera** *he/she finds out*

entonces *then*

la **entrada** *entrance*

entre *among, between*

enviar *to send;* **voy a enviarle** *I am going to send her/him*

envolver(ue) *to wrap;* **envuelto primorosamente** *wrapped carefully*

el **equipo** *team, equipment*

escapar *to escape;* **escapa** *he/she/it escapes*

la **escena** *scene*

el **esclavo, la esclava** *slave*

escribir *to write;* **escribe** *he/she writes*

el **escritor,** *la* **escritora** *writer*

escuchar *to listen to;* **escuchar música** *to listen to music*

la **escuela** *school*

la **esencia** *essence*

los **esfuerzos** *efforts*

los **españoles** *Spaniards*

esparciendo la masa *spreading the dough*

especial *special*

especializar *to specialize;* **especializó** *he/she specialized*

las **especies** *species*

la **esperanza** *hope*

los **espíritus** *spirits*

la **esposa** *wife*

el **esposo** *husband*

el **estallido** *crackling*

estar *to be;* **está feliz** *he/she is happy;* **está hecho de** *it is made of;* **estar enamorado/a** *to be in love;* **está en** *he/she/it is in*

la **estrategia** *strategy*

el **estrecho de la Florida** *Florida Straits*

las **estrellas** *stars*

el **estruendo** *racket*

el **estudiante** *student;* **estudiante de intercambio** *exchange student*

estudiar *to study;* **quiere estudiar** *he/she wants to study*

¡Estupendo! *Fantastic!*

la **etapa** *stage*

étnico/a *ethnic*

el **Euro** *monetary unit of Europe*

el **evento** *event*

la **excursión** *trip, field trip*

explicar *to explain;* **explica** *you explain*

los **exploradores** *explorers*

la **exposición** *exposition*

extraordinario/a *extraordinary*

extrovertido/a *extrovert*

fácil *easy*

falso/a *false*

la **familia** *family;* **Familia Real** *Royal Family*

familiar *pertaining to the family*

famosos/as *famous*

la **fantasía** *fantasy*

favorito/a *favorite*

febrero *February*

la **fecha** *date;* **fecha de nacimiento** *date of birth*

¡Felicitaciones! *Congratulations!*

feliz *happy*

fenomenal *awesome*

la **feria** *fair*

las **festividades** *festivities*

las **fiestas** *parties, celebrations*

las **figuras** *figurines;* **figuritas** *little figurines*

el **fin** *end;* **fin del mundo** *end of the earth;* **fines de semana** *weekends*

el **final** *end;* **al final del cuento** *at the end of the story*

las **flores** *flowers*

formidables *terrific*

el **foro** *chat room*

la **fortaleza** *fortress*

las **fotos** *pictures*

la **frecuencia** *frequency*

la **fruta** *fruit*

fuerte *very strong, powerful*

las **galletas** *cookies*

el **ganado** *livestock*

el **ganador, la ganadora** *winner*

ganar *to win;* **gana** *he/she/it wins*

la **garganta** *throat*

mi **gel** *lit. gel, fig. my shell*

las **generaciones** *generations*

el **general** *general*

el **gimnasio** *gymnasium*

la **gloria** *heaven*

grabar *to etch;* **grabados/as** *etched*

gracioso/a *lively, charming*

la **gramática** *grammar*

gran *great*

grande *large;* **más grande** *older, larger*

el **grano** *grain*

gratuito *free*

grises *grey*

el **grito** *scream*

guapo/a *good looking*

el **guerrero** *warrior*

las **guitarras** *guitars*

el **guitarrista** *guitarist*

gustar *to like;* **les gusta(n)** *they like;* **me gusta(n)** *I like;* **me gustaba(n)** *I liked;* **me ha(n) gustado** *I have enjoyed;* **me gustaría(n)** *I would like*

los **gustos** *taste*

haber *for there to be;* **hay** *there are, there is;* **hay veces** *there are times*

la **habitación** *bedroom*

hablar *to talk, to speak;* **debes hablar** *you should talk;* **habla** *he/she speaks, talks*

hacer *to make, to do;* **está hecho de** *it is made of;* **hace prisioneros** *takes prisoners;* **hacen** *they do;* **hacer ejercicio** *to exercise;* **hacen ejercicio** *they exercise;* **Hace frío.** *It is cold.;* **Hace mucho calor.** *It is very hot.;* **Hace sol.** *It's sunny.;* **Hace viento.** *It is windy.;* **hacían** *they used to make;* **haz** *(you) make;* **¿Qué hacen?** *What are they doing?;* **¿Qué están haciendo?** *What are they doing?;* **No hacen nada.** *They don't do anything.;* **se hace de** *it is made of*

hasta *even, up to*

Hasta luego *See you later*

el **helado** *ice-cream*

la **hembra** *female*

la **hermana** *sister*

los **hermanos** *brothers, siblings;* **hermanos mellizos** *twins*

hermosos/as *beautiful*

el **héroe** *hero*

las **herramientas** *tools*

hervir(ie) *to boil;* **hervido/a** *boiled*

la **hija** *daughter*

el **hijo** *son*

hispano/a *hispanic*

la **historia** *story*

el **hogar** *home*

las **hojas** *leaves*

el **hombre** *man;* **el hombre mismo** *man himself*

la **hora** *hour;* **hora de levantarse** *time to get up*

el **horario** *schedule*

hoy *today;* **hoy en día** *today*

los **huevos** *eggs*

el **huipil** *loosely fitting blouse (Guatemala and Mexico)*

ideal *ideal*

la **identidad** *identity*

identificar *to identify;* **identifica** *(you) identify*

igual *same;* **al igual que** *the same as;* **Igual que a nosotros.** *Same as us.*

el **imperio** *empire;* **imperio Inca** *Inca empire*

importante *important*

imprimir *to print*

incesante *incessant*

incluir *to include;* **incluye** *he/she includes*

increíble *incredible*

indicar *to indicate;* **indica** *he/she indicates*

la **infancia** *childhood*

los **ingredientes** *ingredients*

inicial *beginning*

iniciar *to initiate, to begin*

el **inicio** *start*

inquietos/as *restless*

los **insectos** *insects*

instantáneo/a *instantaneous;* **mensaje instantáneo** *instant message*

inteligente *intelligent, smart*

intentar *to try;* **lo haya intentado** *I have tried*

interesante *interesting*

interesar *to interest;* **¿Te interesa?** *Does it interest you?*

el **interior** *interior, inside*

inventar *to invent*

invitar *to invite;* **invítalo** *invite him*

ir *to go;* **ir de compras** *to go shopping;* **ir a la piscina** *to go to the pool;* **ir a la playa** *to go to the beach*

la **ira** *hatred, ire, anger*

la **isla** *island*

jamás *never;* **jamás he llegado** *I have never arrived*

el **jardín** *garden*

el **jefe** *chief*

joven *young*

los **jóvenes** *young persons*

los **juegos** *games;* **juegos de palabras** *play on words*

el **jueves** *Thursday*

el **jugador, la jugadora** *player*

jugar(ue) *to play;* **jugar al ajedrez** *to play chess;* **jugar videojuegos** *to play videogames*

junio *June*

juntos/as *together*

justo/a *fair, just;* **no es justo** *it's not fair*

las **lágrimas** *tears*

largos/as *long*

latinoamericano/a *Latinamerican*

latir *to beat;* **late** *it beats*

el **lavado de carros** *car wash*

los **lazos de sangre** *blood ties*

la **leche** *milk*

leer *to read;* **lees** *you read*

lejano/a *distant*

levantar *to raise;* **levantada** *raised*

las **leyendas** *legends*

los **libros** *books*

las **líneas** *lines*

la **lista** *list*

listo/a *ready*

llamarse *to be called;* **me llamo, se llama** *my name is, his/her name is*

la **llegada** *arrival*

llegar *to arrive;* **ha llegado** *he/she has arrived;* **jamás he llegado** *I never have arrived;* **llegar a tiempo** *to arrive on time;* **llegar tarde** *to arrive late*

llenar *to fill, to fill out;* **se me llenan** *are filled*

llevar *to take;* **llevarme** *to take me*

llorar *to cry*

llover(ue) *to rain*

la **lluvia** *rain*

luchar *to fight, to struggle;* **luchan** *they fight*

el **lugar** *place;* **lugares lejanos** *faraway places*

los **lunes** *Mondays*

el **macho** *male*

la **madre** *mother*

los **maestros** *teachers*

magnífico/a *magnificent*

el **maíz** *corn*

el **malvado** *evil*

la **mamá** *mother*

la **mañana** *morning;* **de la mañana** *in the morning*

mañana *tomorrow*

las **manos** *hands*

marcharse *to go away, to leave*

las **mariposas** *butterflies*

marrón *brown*

los **martes** *Tuesdays*

marzo *March*

más *more;* **el más/la más** *the most;* **más grande** *older, bigger*

las **máscaras vejigante** *masks made of coconut shells or gourds (Puerto Rico)*

más tarde *later*

matar *to kill;* **mata** *he/she/it kills*

mayo *May*

los **mayores** *adults*

la **mayoría** *majority*

la **medianoche** *midnight*

el **mediodía** *noon, midday*

los **medios** *means*

mejor *better;* **de los mejores** *of the best;* **el mejor/ la mejor** *the best*

los **mellizos** *twins*

menores (que) *younger than*

menos de *less than*

menos *less*

el **mensaje** *message*

la **mente** *mind*

los **meses del año** *months of the year*

mi, mis *my*

la **miel** *honey*

los **miembros** *members*

mientras *while*

el **miércoles** *Wednesday*

miles *thousands*

mío/a *mine;* **el mío/la mía** *mine*

mirar *to look at*

mismo *man himself*

mismos/as *the same*

el **misterio** *mystery*

modelar *to shape*

el **mole** *special sauce that has chocolate in it*

el **momento** *moment*

montar *to ride;* **montar en bicicleta** *to ride a bike*

morir(ue) *to die;* **murió** *he/she/it died*

la **muchacha** *girl*

el **muchacho** *boy*

mucho/a *many, a lot*

la **mujer** *woman*

mundialmente *worldwide*

el **mundo** *world*

el **museo** *museum*

la **música** *music*

los **músicos** *musicians*

nacional *national*

nada *nothing*

nadar *to swim*

nadie *no one*

la **nariz** *nose*

el **narrador** *narrator*

navegar por Internet *to surf the Internet,* **navega por la Red** *he/she surfs the Net*

la **Navidad** *Christmas*

necesitar *to need;* **necesita** *he/she needs;* **necesito** *I need*

negarse(ie) *to say no, to refuse*

negro/a *black*

nervioso/a *nervous*

¡Ni un minuto que perder! *Not a minute to lose!*

ninguno/a *none*

los **niños** *children*

la **noche** *night;* **esta noche** *tonight;* **por la noche** *at night*

la **nochevieja** *New Year's Eve*

el **nombre** *name*

nosotros/as *we, us*

la **nota** *grade*

las **noticias** *news;* **buenas noticias** *good news;* **noticias suyas** *news from him/her*

la **novela** *novel*

noviembre *November*

las **nubes** *clouds*

el **nudo** *knot;* **nudo en la garganta** *knot in your throat*

las **nueve** *nine o'clock*

nuevo/a *new*

el **número** *number*

nunca *never;* **nunca más volverá a marcharse** *she will never go away again*

la **obra de teatro** *play (theater)*

la **obra** *work of art*

obtener *obtain*

las **ocho** *eight o'clock;* **ocho menos diez** *ten to eight;* **a las ocho** *at eight*

octubre *October*

la **oficina** *office*

oírse *to be heard;* **se oye** *can be heard*

ojalá *hopefully*

los **ojos** *eyes*

el **olor** *lit. smell, fig. my soul*

olvidar *to forget*

once *eleven*

la **opinión** *opinion*

organizado/a *organized;* **organizado por** *organized by*

organizar *to organize*

originalmente *originally*

oro *gold*

la **otra** *the other (fem.)*

el **otro** *the other (masc.)*

— P —

el **padre** *father*

los **padres** *parents*

la **paella** *rice dish with meat, fish, or seafood and vegetables*

la **página** *page;* **página Web** *Web page*

el **país** *country;* **mi país** *my country*

¡Palabra! *I promise*

el **pantalón** *pants, trousers*

el **papel** *paper;* **el papelito** *little piece of paper*

el **paquete** *package*

para *to, for;* **para siempre** *forever*

parecer *to seem;* **parezco** *I seem like*

parecerse *to look like;* **¿A quién se parece?** *Who does he/she look like?*

la **pareja** *couple*

los **parientes** *relatives;* **sus propios parientes** *her own relatives*

el **parque** *park*

los **participantes** *participants*

participar *to participate*

el **pasaporte** *passport*

pasar *to go through, to pass, to happen;* **no puede pasar** *it cannot happen;* **pasa** *it happens;* **pasa por una etapa** *it goes through a stage;* **pasar el rato** *to spend time;* **pasar el rato solo** *to spend time alone*

el **pase** *pass*

patinar *to skate*

las **películas** *movies*

el **pelo** *hair*

pensar(ie) *to think;* **piensan** *they think;* **piénsalo** *(You) think;* **Piénsalo bien.** *Think about it.;* **piensas** *you think*

pequeño/a *little, small, young*

perezoso/a *lazy*

el **periódico** *newspaper*

permanecer *to remain;* **ha permanecido** *he/she/it has remained*

permitir *to permit, to allow*

el **perro** *dog*

la **personalidad** *personality*

las **personas** *people, persons*

pésimo/a *terrible*

el **pez** *fish*

el **picante** *hot spice, spicy;* **el picante del mundo** *world's hot spice*

la **piedra** *rock, stone*

las **piernas** *legs*

las **piezas** *pieces*

pintar *to paint;* **pintó** *he/she painted*

el **pintor, la pintora** *painter*

la **pintura** *painting*

la **plata** *silver*

el **plátano** *plantain*

los **platos** *dishes*

poco/a *few, little, not much;* **poco a poco** *little by little*

poder *to be able to, can;* **puede** *may;* **puede ser** *may be, can be*

el **poema** *poem*

la **poesía** *poetry*

el **poeta** *poet*

la **poetisa** *poetess, woman poet*

poner *to put, to place;* **poner huevos** *to lay eggs;* **ponerse en contacto con** *to get in touch with;* **se pone rojo** *he turns red*

por *in, by;* **por ejemplo** *for example;* **por encima de** *above;* **por eso** *because of that;* **por favor** *please;* **por la noche** *at night;* **por lo tanto** *therefore;* **por más que** *no matter how much;* **por primera vez** *for the first time;* **por supuesto** *of course*

¿Por qué? *Why?*

porque *because*

practicar *to practice;* **practica** *he/she/you practice;* **practicar deportes** *to practice sports*

el **precio de la entrada** *admission fee*

preguntar *to ask;* **¿Y tú me lo preguntas?** *And you ask me?*

las **preguntas** *questions*

preocupar *to worry;* **me preocupa** *(he/she/it) worries me*

la **preparación** *preparation*

preparar *to prepare;* **prepárate** *prepare yourself*

el **presidente, la presidenta** *president*

el **primo, la prima** *cousin*

el **primero, la primera** *the first*

la **princesa** *princess*

probar(ue) *to taste;* **prueban** *they taste*

el **problema** *problem*

el **profesor** *teacher*

el **programa** *program*

el **promedio** *average*

prometido/a *promised*

propio/a *(my/his/her) own*

los **propósitos** *purposes*

el **proverbio** *proverb*

próximo *next*

el **público** *public;* **el público general** *general public*

el **pueblo** *town;* **pueblo natal** *hometown*

la **pupila** *pupil (of the eye)*

---Q---

que *that;* **lo que** *what;* **que siga** *that I may continue*

¿Qué? *What?;* **¡Qué bien!** *Very good!;* **¡Qué horror!** *What a nightmare!;* **¡Qué puntual!** *How punctual!;* **¡Qué torpe!** *How clumsy!*

quedar *to stay;* **va a quedarse** *he/she is going to stay*

querer(ie) *to love, to want;* **quiere** *he/she wants;* **queriendo** *wanting to;* **te quiere** *he/she loves you*

querido/a *dear;* **queridos lectores** *dear readers*

¿Quién? *Who?*

¿Quiénes? *Who (plural)?;* **¿Quiénes somos?** *Who are we?*

quietos/as *still*

quince *fifteen;* **quince años** *fifteen years old*

la **Quinceañera** *celebration of a girl's fifteenth birthday*

quitar *to take off;* **le quita la envoltura** *he/she takes off the wrapping*

R

la **rana** *frog*

los **rancheros** *overalls*

rápido *fast*

el **rato** *time;* **rato libre** *free time*

la **realidad** *reality*

realizar *to conduct;* **realizó** *conducted*

realmente *really*

la **receta** *recipe;* **mi propia receta** *my own recipe*

reclamar *to complain;* **reclama** *he/she complains*

recordar(ue) *to remember;* **recordado** *remembered;* **sería recordado** *(it) would be remembered*

los **recursos** *resources*

la **Red** *the Web*

redondos/as *round*

referir(ie) *to refer to;* **referido** *referred to*

el **refrán** *proverb, saying*

el **regalo** *present, gift*

la **región** *region, area*

regresar *to return*

el **relámpago** *lightening*

religiosos/as *religious*

remojar las hojas secas *to soak the dry leaves*

remotos/as *distant*

el **renacuajo** *tadpole*

reportar *to report;* **reporta** *he/she reports*

representar *to represent*

representativo/a *representative*

resonar(ue) *to resonate;* **resuena** *(it) resonates*

la **respuesta** *answer*

el **resto** *the rest*

los **resultados** *results*

resumen *summary;* **en resumen** *in short, to sum up*

los **retratos** *portraits*

la **reunión** *meeting*

reunirse *to get together;* **se reúnen** *they get together*

el **rey** *king*

rico/a *tasty, delicious;* **riquísimo** *very tasty, delicious*

la **rima** *rhyme*

los **rincones** *corners*

las **riquezas** *riches*

el **ritmo** *rhythm*

robar *to steal;* **roba** *he/she/it steals*

rogar(ue) *to beg;* **ruego** *I beg*

rojo/a *red*

rompen cabezas *play on words referring to "rompecabezas", riddles or puzzles*

las **ruinas** *ruins*

S

el **sábado** *Saturday;* los **sábados** *Saturdays*

la **sabelotodo** *know it all*

saber *to know (information);* **no sé** *I don't know;* **sabemos** *we know*

el **sabor** *flavor, taste*

sacar *to take out;* **sacar (ideas)** *to get (ideas)*

sagrado/a *sacred*

salado/a *salty*

salir *to leave, to go out;* **que salga** *that I go out;* **salen** *they go out, emerge;* **salir temprano** *to leave early*

la **salsa** *sauce*

el **salto** *waterfall*

se *third person form of reflexive pronoun;* **se dice** *it is said;* **se hace de** *is made of;* **¿Se te ocurren. . .?** *Do they come to mind?;* **se oye** *it is heard;* **se salva** *he/she saves (himself/herself)*

secar *to dry;* **secando** *drying*

seguir(i) *to follow;* **siguiéndote** *following you*

según *according to*

segundo/a *second*

seis *six;* **a las seis** *at six (o'clock)*

la **selva** *jungle*

la **semana** *week;* **por semana** *per week*

el **señor** *man, gentleman*

la **señora** *woman;* **su señora** *his wife*

los **sentimientos** *feelings*

sentir(ie) *to feel;* **siente** *he/she feels;* **siento** *I feel*

separados/as *apart*

septiembre *September*

ser *to be;* **es** *he/she/it is;* **es sobre** *it is about;* **sería un acto vil** *it would be a despicable act;* **sería recordado** *it would be remembered;* **soy de** *I'm from*

serio/a *serious*

si *if*

sí *yes;* **sí, claro** *of course*

siempre *always*

siete *seven;* **a las siete** *at seven (o'clock)*

el **símbolo** *symbol*

simpático/a *nice, likeable*

sin *without;* **sin darse cuenta** *without realizing it;* **sin duda** *without a doubt;* **sin igual** *without match*

el **sitio** *place*

sobre *about, over*

solamente *only*

soler(ue) *to tend to;* **suele** *he/she/it tends to*

la **solicitud** *application*

sólo *only;* **sólo hay** *there is only*

la **solución** *solution*

sonreír *to smile*

la **sonrisa** *a smile*

sordo/a *deaf*

subrayar *to underline;* **subraya** *(you) underline*

subscribir *to subscribe;* **¡Subscríbete!** *(You) Subscribe!*

el **suelo** *ground*

la **superficie** *surface*

suplicar *to beg, to implore;* **le suplico** *I beg of you, I implore you;* **suplico** *I beg, I implore*

sur *south;* **al sur** *to the south of*

la **sustancia** *substance;* **en sustancia** *physically*

el **taco** *fried tortilla stuffed with cheese, chicken, pork, etc.*

Tailandia *Thailand*

el **talento** *talent*

el **taller** *workshop;* **taller de cerámica** *ceramics workshop*

los **tamales** *dish made of cornmeal, chicken or meat and chili wrapped in banana leaves or corn husks*

también *also*

la **tambora** *drum*

tan *so, as*

tardar en + infinitive *to take time to + infinitive*

la **tarde** *afternoon;* **de la tarde** *in the afternoon*

tarde *late*

la **tarea** *homework*

la **televisión** *television*

el **televisor** *television set*

el **tema** *theme*

temblar *to tremble, to shake;* **le tiemblan** *they tremble;* **temblorosas** *shaking*

temprano *early*

tener *to have;* **tener...años** *to be...years old;* **tener ganas de** *to feel like (doing something);* **tener hambre** *to be hungry;* **tener miedo** *to be afraid;* **tener prisa** *to be in a hurry;* **tener puesto** *to have on, to be wearing;* **tener que + inf.** *to have to do something;* **tener sed** *to be thirsty;* **tiene** *he/she/it has*

la **tercera** *third*

terminar *to finish;* **termina** *he/she/it finishes*

tiempo *time;* **A mal tiempo buena cara.** *Grin and bear it.;* **al mismo tiempo** *at the same time;* **tiempo libre** *leisure time, spare time;* **todo el tiempo** *all the time*

el **tiempo** *weather;* **¿Qué tiempo hace?** *What's the weather like?*

la **tierra** *earth*

tímido/a *timid, shy*

la **tinaja** *large earthen jar*

el **tío** *uncle;* **tío en tercer grado** *distant uncle*

los **tíos** *uncles and aunts*

típico/a *typical*

las **tiras cómicas** *comic strip*

tocar *to touch, to play an instrument;* **le toca** *it's your (his/her) turn;* **que no haya tocado** *that has not touched*

todos/as *all, everyone;* **para todos** *for all;* **todos están haciendo** *everyone is making*

tomar *to drink, to take;* **tomar un examen** *to take a test*

el **tomate** *tomato*

la **tonada** *tune*

las **toneladas** *tons*

la **tormenta** *storm*

torpe *clumsy*

la **tortilla** *unleavened cornmeal pancake;* **tortilla a la española** *omelet-style dish made with eggs, potatoes, chorizo, and onions*

trabajador/a *hard-working*

trabajar *to work*

el **trabajo** *work*

traer *to bring;* **¿Has traído...?** *Have you brought. . . ?;* **que... traiga** *that. . . will bring*

tranquilo/a *relaxed;* **estar tranquilo** *to be relaxed*

la **transpiración** *perspiration*

travieso/a *mischievous*

trece *thirteen*

treinta *thirty;* **treinta y seis** *thirty six;* **treinta y uno** *thirty one*

tres *three*

el **trueno** *thunder*

último/a *last*

un/a *a;* **la una** *one (o'clock)* **un poco más** *a little more*

una sola *only one*

usar *to use;* **uso** *I use*

el **uso** *use*

el **usuario** *user name*

V

las **vacaciones** *vacation;* **vacaciones de verano** *summer vacation*

la **vainilla** *vanilla*

valiente *brave, valiant*

las **variedades** *varieties*

varios/as *several*

las **vasijas** *pots*

las **veces** *times*

el **vecindario** *neighborhood*

veinte *twenty;* **veintiocho** *twenty eight;* **veintitrés** *twenty three*

veloz *fast*

vender *to sell*

venenoso/a *poisonous*

la **venganza** *revenge, vengeance*

venir *to come;* **ha venido** *has come;* **va a venir** *is going to come;* **ven a conocernos** *come get to know us;* **vendrás** *you will come;* **vienen** *they come*

la **venta** *sale;* **a la venta** *on sale;* **venta de galletas** *cookie sale*

ver *to see, to watch;* **como puedes ver** *as you can see;* **nos vemos** *see you;* **ver televisión** *to watch television;* **vemos** *we watch, we see*

el **verano** *summer*

la **verdad** *truth*

¿Verdad? *Right?*

verdadero/a *true*

verde *green*

las **verduras** *greens, vegetables*

el **vestido** *dress*

la **vida** *life*

los **videojuegos** *video games*

el **viejito** *little old man*

el **viento** *wind*

el **viernes** *Friday;* **Viernes Santo** *Good Friday*

visitar *to visit;* **visitarlos** *visit them*

vívidos/as *lively*

vivir *to live;* **siguen viviendo** *they continue to live;* **viven en** *they live in*

volar(ue) *to fly;* **volamos** *we fly;* **vuelan** *they fly*

el **volcán** *volcano*

el **volibol** *volleyball*

volver(ue) *to return, come back;* **vuelve** *he/she returns, comes back*

los **votantes** *voters*

votar *to vote;* **vota** *(you) vote*

los **votos** *votes*

la **voz** *voice*

Y

Ya sé... *I already know...*

¿Y tú? *And you?*

Agradecimientos

ACKNOWLEDGMENTS

For permission to reprint copyrighted material, grateful acknowledgment is made to the following sources:

Agencia Literaria Carmen Balcells: From "Una antigua casa encantada" from *Mi país inventado* by Isabel Allende. Copyright © 2003 by Isabel Allende

Children's Book Press, San Francisco, CA: "Baile en el jardín" from *In My Family/En mi familia* by Carmen Lomas Garza, translated into Spanish by Francisco X. Alarcón. Text copyright © 1996 by Carmen Lomas Garza. "Tamalada" from *Family Pictures/Cuadros de familia* by Carmen Lomas Garza, translated into Spanish by Rosalma Zubizarreta. Text copyright © 1990 by Carmen Lomas Garza.

Ediciones de la Fundación Corripio, Inc.: From "Regalo de cumpleaños" by Diógenes Valdez from *Cuentos dominicanos para Niños*, vol. V. Copyright © 2000 by Ediciones de la Fundación Corripio, Inc.

Editorial Fundación Ross: "Dos buenas piernas tenemos..." and "Siempre quietas,..." from *Adivinanzas para mirar en el espejo* by Carlos Silveyra. Copyright © 1985 by Editorial Fundacion Ross.

Editorial Sudamericana S.A.: "2" and "16" from *Los rimaqué* by Ruth Kaufman. Copyright © 2002 by Editorial Sudamericana S.A.

Maricel Mayor Marsán: From "Un corazón dividido" from *Un corazón dividido/ A Split Heart* by Maricel Mayor Marsán. Copyright © 1998 by Maricel Mayor Marsán. From "Apuntes de un hogar postmoderno" from *Imprenta de los Rincones* by Maricel Mayor Marsán. Copyright © by Maricel Mayor Marsán.

Scholastic Inc.: From "Ollantaytambo" from *Ahora*, vol. 3, no. 2, September/October 1996. Copyright © 1996 by Scholastic Inc. From "Gustavo" from *Ahora*, vol. 4, no. 2, November/December 1997. Copyright © 1997 by Scholastic Inc.

PHOTOGRAPHY CREDITS

Abbreviations used: c-center, b-bottom, t-top, l-left, r-right, bkgd-background.

Page ii (t) courtesy Sylvia Madrigal; v (br) Wolfgang Kaehler/Corbis; (cr) Don Couch/HRW; (tr) 2007 Estate of Pablo Picasso/Artists Rights Society (ARS), New York/Scala/Art Resource, NY; vi (bl) Jorge Alban/HRW; (cl) 1995 Carmen Lomas Garza/Adam Reich, Collection of Aaron and Marion Borenstein, Coral Gables, Florida; vii (cr) Marcia Lieberman Photography; ix (tc) Victoria Smith/HRW; (br) Bettmann/Corbis; x (b) Don Couch/HRW; (t) 2007 Estate of Pablo Picasso/Artists Rights Society (ARS), New York/Scala/Art Resource, NY; 4 (bc) Don Couch/HRW; 9 (br) Museo de la Electricidad Lima/Peru Archivo Fotografico; (cr) Don Couch/HRW; (tr) Lauros/Giraudon, Museo del Oro, Bogota, Colombia/The Bridgeman Art Library; 12 (b) Don Couch/HRW; 13 (br, cl) Museo del Prado, Madrid, Spain, Erich Lessing/Art Resource, NY; (tr) Noortman, Maastricht, Netherlands/The Bridgeman Art Library; 14 (c) The Granger Collection, New York; (cl) Bettmann/Corbis; (cr) Museo National Del Prado; 15 (cr) Don Couch/HRW; 16 (bl) Wolfgang Kaehler/Corbis; 19 (bl) Courtesy of Texas Highways Magazine; (br, tr) PhotoDisc/Getty Images; (tl) HRW Photo; 25 (br) Stuart Westmorland/Corbis; (cr) Kevin Schafer/The Image Bank/Getty Images; (tr) Franz-Marc Frei/Corbis; 28 (bc) Wolfgang Kaehler/Corbis; (br) Kevin Schafer/Corbis; 29 (bc) Michael and Patricia Fogden/Corbis; (cl) PhotoDisc/Getty Images; (cr) Doug Wechsler; 31 (cr) Kerrick James Photography/Getty Images; 32 (bl) Carmen Lomas Garza/Collection of Smithsonian Museum of American Art, Washington, DC; 35 (1), 36 (tr) Heinz Hebeisen/iberimage; 38 (tr) Duomo/Corbis; 41 (br) Carmen Lomas Garza, collection of the artist, photo credit: Wolfgang Dietze; (cr) Jacket Cover from Caramelo: O Puro Cuento by Sandra Cisneros, translated by Liliana Valenzuela, Translation 2002 by Liliana Valenzuela. Used by permission of Alfred A. Knopf, a division of Random House, Inc.; 1 (tr) Image Courtesy of El Museo del Barrio, New York; 43 (cr) Carmen Lomas Garza, Collection of Paula Maciel-Benecke and Norbert Benecke Aptos, California, Photo Credit: M. Lee Fatherree; 44 (bc) Carmen Lomas Garza, Collection of Paula Maciel-Benecke and Norbert Benecke Aptos, California, Photo Credit: M. Lee Fatherree; 45 (tc) 1995 Carmen Lomas Garza, photo credit: Adam Reich, Collection of Aaron & Marion Borenstein, Coral Gables, Florida; 47 (cr) Patrik Giardino/Corbis; 48 (bl) Jorge Alban/HRW; 51 (br) PhotoDisc/Getty Images; 56 (1) PhotoDisc; (2) PhotoDisc/Getty Images; (3-clock) Artville; (3-watch) Burke/Triolio/Brand X Pictures/Jupiter Images; 57 (br, tr) Don Couch/HRW; (cr) Courtesy of The Glitter Box/Sheila Pamfiloff; 59 (tr) Don Couch/HRW; 60-63 (all) Jorge Alban/HRW; 64 (bl) Marcia Lieberman Photography;

73 (Allende) Szenes Jason/Corbis Sygma; (br) Book cover (Spanish edition) from La Casa de los Espiritus by Isabel Allende. Reprinted by permission of HarperCollins Publishers, Inc.; (cr) Jacket Cover, from Tan Veloz Como El Deseo by Laura Esquivel, 2001 por Laura Esquivel. Used by permission of Anchor Books, a division of Random House, Inc.; (Mistral) Bettmann/Corbis; 75 (br) Entire Book Cover from Mi Pais Inventado By Isabel Allende. Reprinted by permission of HarperCollins Publishers.; (cr) Book cover (Spanish edition) from Paula by Isabel Allende and trans. by Margaret Sayers Peden. 1994 by Isabel Allende. Translation 1995 by HarperCollins Publishers. Reprinted by permission of HarperCollins Publishers Inc.; (tr) Book cover (Spanish edition) from La Casa de los Espiritus by Isabel Allende. Reprinted by permission of HarperCollins Publishers, Inc.; 76-77 (b) Jeremy Woodhouse/Digital Vision; 76 (Espiritus) Book cover (Spanish edition) from La Casa de los Espiritus by Isabel Allende. Reprinted by permission of HarperCollins Publishers, Inc.; (Paula) Book cover (Spanish edition) from Paula by Isabel Allende and trans. by Margaret Sayers Peden. 1994 by Isabel Allende. Translation 1995 by HarperCollins Publishers. Reprinted by permission of HarperCollins Publishers Inc.; 77 (tr) Marcia Lieberman Photography; 78 (Abuelo, Paula, Ramon) Courtesy of Isabel Allende; (Allende) Marcia Lieberman Photography; 88 (bl) Sam Dudgeon/HRW; 89 (br) Don Couch/HRW; (chiles) C Squared Studios/Getty Images; (cr) Brand X Pictures; (tr) Dave G. Houser/Post-Houserstock/Corbis; 121 (tr) Blue Lantern Studio/Corbis; 125 (c) Courtesy of Maricel Mayor Marsán; 128 (bl) Victoria Smith/HRW; 134 (cr) PhotoDisc/Getty Images; (flor) PhotoDisc; 136 (bl) PhotoDisc/Getty Images; 137 (br) Miami Herald/Silver Image; (cr) CM Guerrero/Miami Herald/Silver Image; (tr) PhotoDisc/Getty Images; 140 (bl), 141 (bc) Victoria Smith/HRW; 142-143 (bkgd) Pier Photography/Alamy; 142 (bc) Victoria Smith/HRW; 146 (bl) Bettmann/Corbis; 154 (br) Courtesy of Universal Studios Licensing LLLP. and Æ Wicked LLC; 155 (br) 2006 Banco de Mèxico Diego Rivera & Frida Kahlo Museums Trust. Av. Cinco de Mayo No. 2, Col. Centro, Del. CuauhtÈmoc 06059, Mèxico, D.F/The Creation of Man, page from Popol Vuh (w/c on paper), Rivera, Diego (1886-1957)/Index, Museo Casa Diego Rivera (INBA), Guanajuato, Mexico/The Bridgeman Art Library; (cr, inset) Robert Frerck/Odyssey/Chicago; (tr) The Art Archive/Museo del Oro Bogota/Dagli Orti; 157 (cr) Bettmann/Corbis; 158-159 (c) Bettmann/Corbis; (bkgd) Wolfgang Kaehler/Corbis; 160 (border) Wolfgang Kaehler/Corbis.

Special thanks to Edson Campos for his contributions to the illustrations in this book.